TITAN

Collection dirigée par
Stéphanie Durand

De la même auteure chez Québec Amérique

Jeunesse

La Confrérie des mal-aimés, coll. Gulliver, 2009.

SÉRIE JULIETTE
La Délicieuse Année de Juliette la vedette, coll. Bilbo, 2007.
La Terrible Année de Juliette la boulette, coll. Bilbo, 2005.

SÉRIE CAMILLE
Camille et la rivière aux diamants, coll. Bilbo, 2004.
Le Triste Secret de madame Emma, coll. Bilbo, 2003.
Les Mille Chats de madame Emma, coll. Bilbo, 2002.

Adulte

Le Bain d'Amélie, coll. Tous Continents, 2001.

Catalogage avant publication de Bibliothèque et Archives nationales du Québec et Bibliothèque et Archives Canada

Fredette, Nathalie
Du soleil même la nuit
(Titan ; 95)
Pour les jeunes.
ISBN 978-2-7644-0784-4
I. Titre. II. Collection: Titan jeunesse ; 95.
PS8561.R375D8 2012   jC843'.6   C2011-942279-4
PS9561.R375D8 2012

Conseil des Arts du Canada Canada Council for the Arts   SODEC Québec

Nous reconnaissons l'aide financière du gouvernement du Canada par l'entremise du Fonds du livre du Canada pour nos activités d'édition.

Gouvernement du Québec – Programme de crédit d'impôt pour l'édition de livres – Gestion SODEC.

Les Éditions Québec Amérique bénéficient du programme de subvention globale du Conseil des Arts du Canada. Elles tiennent également à remercier la SODEC pour son appui financier.

L'auteure remercie le Conseil des Arts du Canada pour son appui financier.

Québec Amérique
329, rue de la Commune Ouest, 3ᵉ étage
Montréal (Québec) Canada H2Y 2E1
Téléphone : 514 499-3000, télécopieur : 514 499-3010

Dépôt légal : 1ᵉʳ trimestre 2012
Bibliothèque nationale du Québec
Bibliothèque nationale du Canada

Projet dirigé par Stéphanie Durand
Mise en pages : André Vallée – Atelier typo Jane
Révision linguistique : Diane-Monique Daviau et Chantale Landry
Conception graphique : Célia Provencher-Galarneau
Photo en couverture : Photocase

Imprimé au Canada

NATHALIE FREDETTE

Du soleil
même la
nuit

Québec Amérique

à Madeleine

aux petites âmes blessées

1

*D*ans l'avion, sur un air débile, je chantais pour me donner du courage : « *Florida, Florida, toi et ta vitamine D, tu me transformeras…* » Pour être plus exacte, je chantonnais dans ma tête. Inutile d'énerver tout le monde autour de moi sous prétexte que je n'arrivais pas à relaxer dans ce cercueil en tôle potentiel. Être tassée comme une sardine à 10 000 mètres d'altitude, ballottée de tous bords tous côtés à la moindre turbulence, ça me stressait totalement. Je fredonnais, donc : « *la la lère… tu me transformeras* », en boucle, sans arrêt, tout le long du trajet Montréal – Fort Myers, pour me changer les idées. Voilà pourquoi, si on avait fait un portrait de moi à cet instant, il aurait ressemblé à ceci : Jeanne Marineau, 15 ans, balbutiante hyper claustrophobe voyageant seule en avion pour la première fois.

Trois heures plus tard, j'ai poussé le plus gros soupir de soulagement de ma vie en voyant ma tante Marjolaine à l'aéroport ! J'étais doublement contente : soulagée de descendre de cette carlingue toujours en vie et heureuse de revoir cette tante adorable qui m'hébergerait pour l'été dans son condo de Naples (prononciation : « N-é-p-e-l »), situé à soixante kilomètres de Fort Myers. J'ai laissé tomber mon sac à dos en plein milieu de l'aéroport et j'ai sauté dans les bras de mon hôtesse. J'ai pensé : « Vite ! Emmène-moi loin d'ici ! S'il te plaît ! S'il te plaît ! » Ce qui fut fait. Une fois dans l'auto, j'ai été rapidement impressionnée par tous ces chics boulevards bordés de hauts palmiers que nous empruntions et tous ces luxueux condominiums qui faisaient face à la mer éblouissante. Toutefois, ce dont je me rappelle surtout de cette première journée, c'est d'avoir dormi comme une buche jusqu'au lendemain tellement ma rengaine idiote et ma peur de l'avion avaient complètement vidé mon réservoir d'énergie.

Vingt-quatre heures s'écouleraient avant que j'aie le sentiment que la Floride me transformerait bel et bien, comme l'avaient prédit les paroles stupides de ma chanson ; le temps que ma tante me conduise chez ses meilleurs amis avec qui habitait un gars de mon âge qu'elle brûlait d'impatience de me présenter. À peine le petit déjeuner avalé dans l'élégante salle à manger du condo de ma tante, nous avons pris la route en direction de la maison de John et Ralph. Et c'est tout de suite en voyant ce gars prénommé Thomas que j'ai compris que mon été ne ressemblerait à aucun autre. N'importe qui connaissant ma vie aurait dit : « C'est sûr qu'il ne pouvait pas ressembler à l'été précédent, le quatorzième et le pire de tes étés *à vie*. Tu sais, cet été de misère où tu as pleuré toutes les larmes de ton corps à te morfondre d'avoir perdu tes meilleures amies ? Tu sais, cet été suivi d'une année scolaire catastrophique parce que tu n'arrivais pas à t'intégrer dans ce collège bête et méchant rempli, disais-tu, de *nerds* et de snobs ? » Il aurait eu raison, mais pas complètement.

Immédiatement en sortant de la voiture, je me suis retrouvée face à face avec ce Thomas, mais pas longtemps : le gars a souri à ma tante, il a tourné la tête vers moi et il a bredouillé « *Hi !* », avant d'enfourcher son vélo et de déguerpir. Pourtant, il venait juste de descendre de son bolide d'au moins quatre-vingt-dix vitesses flambant neuf et s'apprêtait à entrer dans la maison quand nous sommes arrivées, mais bon… j'ai essayé de ne pas en faire une affaire personnelle. Notre première rencontre a duré moins d'une minute, mais déjà j'étais intriguée. Ça peut paraître curieux à dire, mais Thomas m'a d'abord attirée par sa façon de ne pas me regarder. Il a tourné la tête vers moi, mais ses yeux n'ont pas rencontré les miens. Je n'avais jamais vu un regard aussi fuyant. Je me suis demandé ce qu'il évitait. Ce n'était pas moi, je le sentais bien. Thomas avait l'air blessé. Peut-être parce que je connaissais parfaitement ce sentiment, ça m'a plu. Ma tante m'a souri. Pas difficile de comprendre qu'elle s'attendait à une réaction de ce genre de la part de Thomas. Elle m'a fait signe de la suivre :

— Viens, je vais te présenter John et Ralph.

De l'extérieur, la maison de ses amis ressemblait davantage à un chalet qu'à une vraie maison. L'habitation un peu déglinguée du 22, Pine Road, avait déjà été blanche, si l'on se fiait aux galettes de peinture qui tenaient encore sur les planches de bois maintenant grises. La bicoque détonnait aux côtés des grosses demeures cossues bâties dans cette région riche de la Floride. Avant même de franchir l'entrée, j'ai senti que je pénétrais dans un univers insolite qui laisserait sur moi son empreinte. Première des raisons expliquant le sentiment que j'ai eu : l'étrange pièce en moustiquaire par lequel on accédait à la maison était rempli de trous géants. À mon sens, ça ressemblait plus à une invitation pour les bibittes et les bestioles qu'à une protection contre elles. Ensuite, ma tante a pointé du doigt deux des trois marches de l'escalier sur lesquelles on ne pouvait en aucun cas se risquer et, une fois dans cette véranda bizarre, je suis tombée sur deux imposants cacatoès. Avant que je puisse déterminer si j'étais la bienvenue, ils m'ont fait savoir que je venais de m'introduire sur *leur* territoire. Ma tante avait beau affirmer qu'on ne courait aucun danger, j'avais l'impression que leurs ailes battaient l'air pour m'ordonner de circuler *illico presto*.

Mon entrée se transformait en parcours à obstacles. Je n'étais même plus certaine de vouloir accéder à la pièce suivante et aller à la rencontre des humains propriétaires de cette drôle de maison. J'ai été soulagée de voir que l'homme qui nous attendait dans le salon avait l'air d'un individu normal. Deux yeux, un nez, et même un sourire. Dans un français très correct, il m'a saluée :

— Bienvenue chez nous, Jeanne. Je suis content de faire ta connaissance.

Le deux-yeux-un-nez-une-bouche qui venait de prononcer cette phrase se nommait John. Il devait avoir trente-cinq ans. C'était le genre d'homme qu'on trouvait tout de suite sympathique. Il avait l'air joyeux, souriant, énergique. Ses yeux bleus taquins pétillaient. En le voyant, j'ai pensé : « OK, ça c'est un gars de *party*. » Son *look* ? Casquette de baseball, t-shirt comique, shorts en jeans délavés et gougounes en plastique couleur fluo. Pas exactement l'image d'un adulte sérieux et ennuyeux. Pas non plus l'image du type qu'on retrouve dans une pub d'Hugo Boss ou de Georgio Armani. Sans crainte d'abîmer son costume, John s'est agenouillé devant ma tante pour rigoler :

— *Margarita ? Cosmopolitan ? Tequila Sunrise ?*

Pas besoin d'être très perspicace pour comprendre que John adorait préparer des cocktails. Son bar trônait contre le mur principal du salon comme un trophée. C'était un meuble kitsch des années 1950 ou 1960 rempli à craquer de bouteilles d'alcool. Il y avait aussi des verres et des coupes de toutes les formes. Sur une tablette, il y avait des mélangeurs, de petits parasols multicolores, plein de gadgets servant à la décoration de ses concoctions. Soudain, une grande silhouette mince est venue s'interposer entre le bar et moi. Ralph. En silence, il était sorti de la cuisine et il traversait maintenant le salon. C'est à peine si John a eu le temps de lui demander s'il voulait boire quelque chose.

— *Nothing for me. I'm working.*

John m'a regardée :

— Excuse Ralph, il est en train de développer des photos dans sa… *how do you say that…* chambre noire ?

Comme s'il avait oublié quelque chose, le beau châtain taciturne a passé la tête hors de sa pièce de travail un long dix secondes :

— Bienvenou, Jane ! On se voit pluss tard, OK ?

Short and sweet, l'apparition. Facilement comparable à l'accueil expéditif de Thomas, qui n'était toujours pas rentré au bercail. Ma tante m'avait avertie quand elle m'avait parlé du spécimen au téléphone à la fin du mois de mai. « Encouragée » par mes parents, elle m'invitait à passer mes vacances chez elle. Ses arguments pour que j'accepte ? La plage, le soleil, mais surtout la gentillesse de ses fameux amis et de Thomas.

— Thomas n'est pas un garçon facile. Il est spécial… En plein ton genre, avait-elle ajouté sur un ton ironique.

Rien pour me rassurer :

— Comment ça, spécial ?

— Il est gentil, ne t'inquiète pas. Disons qu'il est un peu… réservé.

« Réservé » ? Tiens, donc ! En plein le mot que mon professeur de français avait utilisé pour me décrire. « Réservée » et « secrète », m'avaient rapporté mes parents après leur réunion d'urgence avec les professeurs du nouveau collège que je fréquentais depuis un an. « Malheureuse comme la pluie » aurait été pas mal aussi.

À ce moment, je ne débordais pas d'enthousiasme à l'idée de faire la connaissance de ce Thomas, mais j'avais trouvé quand même chouette le fait qu'il y ait une certaine ressemblance entre lui et moi. J'avais accepté la proposition de ma tante. De toute façon, qu'est-ce qui me retenait à Montréal à part… rien ? J'avais raccroché et j'étais retournée dans ma chambre, là où je passais des millions d'heures. Ma tablette à dessin sur les genoux, j'avais gribouillé pendant deux ou trois minutes. Puis, sans trop m'en rendre compte, j'avais fait le portrait imaginaire de ce Thomas. À la vue du résultat, j'avais pensé : « *Wow* ! Méchant beau bonhomme ! »

J'avais dessiné Thomas avec un visage d'ange et des cheveux longs, bouclés, blond très pâle, le genre *blondy beach boy*. Le style de gars qui vit au soleil toute l'année, une planche de surf sous le bras : un Américain comme on en voit des tonnes dans les films d'ados. J'avais tout faux. Première-ment, Thomas avait les cheveux rasés très court.

Deuxièmement, ils étaient bruns, ses cheveux. C'était un beau gars plutôt musclé, avec un visage dur et mystérieux. Timide et intense. Derrière le calme solide qui se dégageait de lui, une révolte semblait gronder. Je n'aurais pas su dire si c'était à son insu ou s'il faisait tout pour la faire taire. J'allais le découvrir plus tard. De toute façon, son *look* de rebelle était vraiment plus attirant que ce genre Américain stéréotypé que je lui avais imaginé.

J'avais hâte de revoir ce gars intrigant. Son côté secret m'attirait. Mais je m'isolais tellement moi-même depuis un an… Deux solitaires, ça fait comment pour se rencontrer ? Une certitude que j'ai eue, dès que j'ai vu Thomas, c'est que si je ne faisais pas les premiers pas vers lui, il n'y en aurait tout simplement pas, des pas. J'ai eu le goût d'essayer. Ça faisait longtemps que je n'avais pas ressenti cela : le goût de bouger. Encore fallait-il que l'autre réponde présent, ce qui n'était toujours pas le cas.

La voix de John m'a sortie de mes réflexions :

— Veux-tu boire quelque chose, Jeanne ? *Virgin, of course.* Un cocktail avec du jus ? Orange ? Citron ? Grenadine ? *Florida is hot, isn't it ?*

— Euh, oui, un cocktail, comme vous voulez, ai-je répondu, gênée.

John a fait semblant d'être insulté :

— Tu vas me faire le plaisir de me tutoyer, et tout de suite ! On n'est pas encore des vieux croulants. Hein, Marge ?

« Marge » ? Apparemment, c'était le nom que John donnait à ma tante Marjolaine. Ma tante a souri et a levé son verre en direction du barman :

— *Cheers !*

Un homme et une femme sont arrivés au même moment. Ils devaient avoir dans la quarantaine. John s'est exclamé :

— Hé ! Bob et Bobette !

De toute évidence, c'était un *running gag*. Tout le monde riait à s'en tenir les côtes. Je souriais, mal à l'aise, maudissant encore plus ce Thomas Machin Chose de ne pas être là. John a terminé son verre en deux gorgées, puis il a préparé pour tout le monde un truc trois couleurs, servi dans une longue flûte. Enfin, il a allumé la radio du bar stéréo, qui s'illuminait au rythme de la musique. Il a sifflé.

— *Where are my boys ? Rock ! Humphrey ! Come in !*

Deux boxers albinos sont arrivés en trombe, sortis de je ne sais où. Ça ou une tornade dans la pièce, c'était du pareil au même. Les deux bêtes qui tournaient en tous sens avaient l'air jeune, mais c'étaient déjà de vrais molosses. Sympathiques. Énergiques. À l'image de leur maître.

— *Good dogs*.

John a saisi les pattes avant de Rock et les a mises sur ses épaules. Ensemble, ils ont dansé. Le chien était fou comme un balai. Debout sur ses pattes arrière, il léchait le visage de John à grands coups de langue. Ma tante s'est levée. Elle a replacé ses longs cheveux auburn comme si elle venait d'accepter une invitation et elle a fait battre ses longs cils hyper « mascarisés ». Puis, elle a pris les pattes avant de Humphrey et s'est mise à tournoyer avec le gros boxer blanc à poil ras.

— Tu es fou ! a-t-elle lancé à John, qui essayait de faire du *break dance* avec Rock.

Ensuite, les deux chiens ont hurlé pour accompagner les marmonnements chantés de John. Le spectacle était complètement saugrenu. Bob et Bobette riaient de bon cœur. Pour ma part, j'hésitais entre m'en amuser ou trouver ça carrément mongol, avec un faible pour la seconde option. C'est le moment qu'a choisi Thomas pour réapparaître. Entre deux hurlements de chien. Ses joues

rouges trahissaient ou sa gêne ou son essouf-
flement. Je n'aurais pas su dire et je ne comptais
pas sur lui pour clarifier la situation.

— *Here he is!* a lancé John avec un air réjoui
en l'apercevant.

En guise de réponse, Thomas a levé le pouce
droit. Il a mis le cap sur le meuble stéréo et s'est
servi un verre de jus d'orange. J'en ai profité pour
l'observer.

— Salut, a-t-il murmuré, les yeux baissés, en
passant près de moi.

J'ai tenté d'amorcer une conversation. Moi,
Jeanne Marineau, presque muette depuis un an.
J'ai demandé à Thomas si c'était toujours comme
ça chez lui. J'ai dit ça en riant, pour essayer de
détendre sa face de carême.

— Toujours.

Une réponse d'un mot. Comme quoi il n'y
avait pas que moi qui avais presque perdu l'usage
de la parole. Le muet est reparti. Je n'en croyais
pas mes yeux. John m'a regardée avec un sourire
triste, puis il a recommencé à faire le fou. Même si
la danse avec les chiens était terminée, le joyeux
bordel continuait et la musique jouait toujours à
tue-tête. Tout le monde parlait et riait de plus en

plus fort pendant que je me sentais de plus en plus seule.

Pour ajouter à mon malheur, un soleil magnifique me narguait à travers la fenêtre. J'étais frustrée de ne pas être à la plage par une journée pareille, mais j'avais l'air d'être la seule dans cet état-là. Si j'ai bien compris, les Floridiens passent l'été à l'intérieur. Chez John et Ralph, en tout cas, c'était comme ça. Trois hypothèses m'ont traversé l'esprit pour expliquer le phénomène qui me laisserait blanche comme la neige si tout mon été ressemblait à cette journée. Première hypothèse : le soleil tapait trop fort à l'extérieur et les Floridiens, qui avaient la chance de voir l'astre solaire toute l'année, n'avaient pas besoin de s'exciter comme les Québécois dès qu'il se montrait la binette. Pas besoin, comme nous, de se précipiter à l'extérieur avec la peur de le voir repartir trop vite (vers la Floride, par exemple). Deuxième hypothèse : John et ses invités tenaient trop à son bar pour s'en éloigner. Troisième hypothèse : le couple ne voulait pas choquer le voisinage avec leur mode de vie différent, assez chahuteur en plus. J'ai finalement tranché en faveur de cette raison quand l'un des voisins a décoché un vilain regard en direction de la maison. Depuis un moment déjà, il s'intéressait à ses arbustes d'une façon bizarre, mais quand ma tante a éclaté de rire à l'écoute de je ne sais plus quelle blague, il a scruté l'intérieur du salon avec un air exaspéré. La saute d'humeur du voisin n'a pas échappé à John. « *Nice day, Mr Raven, isn't?* », lui a-t-il demandé avant de fermer la fenêtre. « *Gosh…* », a-t-il ajouté d'un ton découragé en augmentant la vitesse des pales du ventilateur, si bien que j'avais presque le frisson malgré la chaleur.

Le comportement du voisin n'avait pas beaucoup impressionné ma tante. À voir la façon dont elle placotait et riait avec ses amis depuis des heures, elle n'avait pas l'intention de partir de sitôt. Ça m'a rappelé le temps où je passais des heures et des heures à parler avec Sarah et Marianne, mes deux meilleures amies en première et deuxième secondaire. « Qu'est-ce que vous avez tant à vous raconter, pour l'amour ! », lançait parfois ma mère mi-exaspérée, mi-amusée. C'était à mon tour d'avoir ce sentiment.

Ce n'est que vers huit heures que mon sauveur est enfin arrivé. Pas Thomas, une sorte de version adulte du gars : Ralph, le photographe solitaire, aussi réservé que le quasi-fantôme de quinze ans qui habitait sa maison. Le grand châtain est entré dans la pièce au moment où Bob et Bobette quittaient la maison. Il a embrassé John et s'est assis à côté de lui, un dépliant de restaurant dans les mains. C'était la première fois que je voyais deux hommes s'embrasser en vrai. J'avoue, ça m'a fait bizarre.

— Je commande un pizza, quelqu'un veut aussi ?

Le français de Ralph était couci-couça. Au moins, il faisait un effort pour s'adresser à moi dans ma langue. (Moi, j'étais vraiment trop gênée pour parler anglais dans cette maison.)

— *Good idea for the kids*, a répondu ma tante.

Le soir tombait. Ça faisait plusieurs heures que nous étions là. Je mourais de faim et j'étais d'accord avec ma tante pour la pizza. Par contre, j'ai été moins enchantée par la suggestion suivante :

— On va peut-être coucher ici, ce soir. Ça ne te dérange pas, ma chouette ?

J'étais vraiment mal à l'aise de dormir dans cette maison. N'empêche, j'ai été soulagée d'apprendre que ma tante ne conduirait pas son auto. La conduite en zigzag, avec comme obstacles à contourner les autos, les poteaux et quoi d'autre encore, ça ne me disait pas trop. J'ai dit non, gênée, sans faire grimper beaucoup les décibels. J'ai pensé d'une voix intérieure, plus forte, celle-là : « MAIS QU'EST-CE QUE JE SUIS VENUE FAIRE ICI POUR TOUT L'ÉTÉ ? »

J'ai été nul la première fois que j'ai vu Jeanne. Je n'ai même pas été capable de la saluer comme du monde. Elle a dû penser que je me fichais complètement d'elle. Je suis resté figé. Quand elle m'a regardé, j'ai détourné les yeux.

— *Hi!* j'ai bredouillé.

That's it, that's all. Rien d'autre. Mon premier réflexe, ç'a été de sauter sur mon vélo et de me pousser. Ok, jusque-là rien d'extraordinaire. C'était un réflexe habituel : ça faisait presque trois ans que je fuyais tout le monde. Pas sorcier de me rappeler depuis quand exactement je tenais à ne pas faire de vagues : depuis que j'avais fait croire à mes amis du parc de *mobile homes* avec qui j'allais à l'école que mon père et moi avions déménagé dans un autre quartier. Après ce supposé déménagement, j'ai évité tous les jeunes de mon âge et à peu près tout le monde pour ne pas me faire questionner, à l'école comme ailleurs.

Avec le temps, ma carapace était devenue aussi épaisse que la peau cuirassée d'écailles des alligators. Ça ne me dérangeait même plus de me tenir à l'écart. C'était devenu ma façon de vivre. Comme on respire, sans y penser. Sauf que ce dimanche-là, quand j'ai vu Jeanne, ça m'a coupé le souffle. Je veux dire... tout de suite, ç'a été moins facile d'être indifférent. C'était la première fois que ça m'arrivait. J'avoue que j'étais un peu influencé par le fait que Marge m'avait dit que j'adorerais sa nièce. Comme Marge n'est pas du genre à raconter des salades, ça m'a fait *freaker*. Parce que, tout de suite, j'ai compris qu'elle avait visé juste.

Résultat : quand on était fait dans mon genre, il fallait s'éloigner au plus sacrant ! J'ai sauté sur mon vélo et j'ai pédalé comme un fou jusqu'à ce que le cœur ait envie de me sortir de la gorge. J'ai détalé sur Pine Road, puis j'ai roulé à cent à l'heure sur Gulf Shore Boulevard. Heureusement, les feux de circulation étaient verts ou jaune foncé. Pas sûr que j'aurais freiné si j'avais croisé un feu rouge. Les stops, eux, je les faisais en arrêtant de pédaler un gros quart de seconde, sans mettre le pied à terre. Deux ou trois automobilistes exaspérés ont eu l'air de vouloir me tuer parce qu'ils avaient failli me renverser. Trouvez l'erreur. Finalement, je suis arrivé au quai en battant probablement tous mes records de vitesse. Autour de quinze minutes douze secondes, j'aurais parié. Je me suis assis sur un banc devant la mer pour retrouver mon souffle. Qu'est-ce qui m'arrivait, donc? C'est comme si une brèche commençait à se faire dans ma carapace. Et je sentais que je n'aurais pas les moyens de la colmater. On aurait dit que j'étais pour me fendiller comme ce pieu, chapeauté d'un pélican, que j'avais sous les yeux.

Une voix désagréable au possible m'a sorti de mes pensées. Cette voix rauque et fêlée qui essayait d'en imposer, je la connaissais pour l'avoir entendue des centaines de fois dans la cour et les corridors du Pretoria High School, mon école.

— *Hey! The grave! How are you?*

Taylor. Jeremy Taylor pis sa *gang*. *Shit!* Je ne les avais pas vus venir. J'ai salué Taylor et les autres en essayant de ne pas avoir l'air contrarié. Depuis la fin de la première année du secondaire, mon surnom c'était *the grave*. La tombe. C'était justement à ce débile profond qui se tenait devant moi que je le devais. Au début, je pensais que c'était parce que j'étais triste comme une tombe ou parce que je ne prononçais jamais un mot, à part dans les cours si on m'interrogeait. Mais un jour, j'avais entendu

Taylor dire dans les vestiaires que je cachais un secret que je ne révélerais jamais. Savait-il de quoi il parlait exactement? J'étais sorti avant la fin de son bavardage. De toute façon, une rumeur floue s'était déjà répandue dans l'école. Je n'ai jamais cherché à éclaircir ou à expliquer tout ça. Pas nécessaire d'attirer davantage l'attention. Tant pis si je me faisais appeler *the grave* pour ça. Ça m'était égal.

Sur le quai, en voyant Taylor et les autres, je me suis senti traqué comme une bête. D'habitude, j'essayais toujours d'éviter ce genre de situation. L'idée de me jeter dans la mer m'a traversé le cerveau. Bon, ça semblait un peu trop excessif, et pas très intelligent. Le mieux, c'était d'avoir l'air au-dessus de tout ça, détaché et indifférent (mais pas fendant ni baveux). Un dosage judicieux élaboré au fil des ans : il fallait être *low profile*, mais pas fragile ; il fallait savoir éviter les autres, mais sans avoir l'air d'avoir peur... Dans la cour d'école, devant les casiers ou dans les corridors, je m'en étais toujours bien sorti. J'avais l'habitude. Mais c'était la première fois que je me trouvais pris au bout d'un quai. Je me suis levé, l'air de rien.

— *I have to go. Bye, men. See you at school at the end of the summer.*

J'ai enfourché mon vélo en faisant comme si je n'entendais pas le « *Wait ! Wait ! Robichaud !* » beuglé par Taylor. Direction ? Il n'y en avait pas des tonnes, car il n'y avait pas grand-chose à faire à Naples. Il y avait bien une piste de *skates*, mais je ne m'en approchais jamais même si j'aurais aimé ça. Il y avait trop de gars qui venaient de Pretoria parmi ceux qui faisaient des *tricks* hallucinants. Bref, il n'y avait pas cinquante-six possibilités à part aller à la mer ou près de la rivière où je pouvais observer les alligators sans trop de danger à partir d'un petit pont. Comme des centaines de fois avant, j'ai pédalé jusqu'à la rivière. Treize minutes quarante-deux secondes. Pas pire.

Les alligators me fascinaient. Depuis le temps que je les observais, je les appelais mes amigators. Un peu niaiseux, je sais. Près du pont, il y en avait cinq. J'ai regretté de ne pas avoir mon appareil photo avec moi. Ralph m'avait appris comment les photographier correctement et j'avais même développé ma propre technique, en zoomant sur leur armure d'écailles dures. Ralph disait souvent que j'avais l'œil et que je pourrais devenir un super photographe profes-sionnel plus tard, comme lui. Ça, c'était à condition que j'aie un avenir pas trop « scrappé ». Pas évident.

Je suis resté avec les alligators pendant une heure peut-être, presque aussi immobile qu'eux. On aurait dit que j'essayais de retrouver mon sang-froid, comme ces reptiles qui restent à l'ombre ou au soleil des heures sans bouger pour réguler la température de leur sang. Rien à faire. Oui, j'étais plus calme, mais je n'arrivais pas à chasser Jeanne de ma tête. J'ai repensé à la phrase de Marge : «Jeanne ne va pas te faire de mal, Thomas, crois-moi. Au contraire.» Puis, j'ai repensé à la blague de John : «*A girl in this house? Wow! Wow! Wow!*»

À un moment donné, j'en ai eu assez. J'ai lancé, en direction des alligators : «Vous êtes plates, vous autres, aujourd'hui! De l'action, ça me changerait les idées. Aucun de vous pour faire le fou dans l'eau ou croquer un oiseau, une marmotte, non?» Un des alligators a lentement tourné la tête vers moi. *That's it, that's all.* Bon, j'ai pris mon courage à deux mains, j'ai remonté sur mon vélo, j'ai appuyé sur le chrono de ma montre. *Let's go!* Temps pour le trajet du retour : vingt minutes trente-sept secondes. Douze secondes au-dessus de ma meilleure performance. Ça m'a découragé parce que je m'étais dit que si je battais mon record, j'arriverais à parler à Jeanne. J'ai traversé le salon, j'ai pris un verre de jus, puis rien. Jeanne a bien fait des efforts pour entrer en contact avec moi, mais j'ai été incapable de rester dans la pièce et de lui parler. J'ai pris la direction de ma chambre. Un vrai lâche.

Sur mon lit, Ralph avait laissé le dernier numéro du *National Geographic*. Il y avait probablement un photoreportage de lui à l'intérieur. Dans son domaine, Ralph est un pro : il est spécialiste de la photo animalière. Les alligators de la Floride, c'est son rayon, entre autres. Ça prend du courage et du calme en masse. Il faut être aux aguets longtemps, sans bouger. Il faut aimer la solitude. Ça pourrait être mon genre. En tout cas, c'est sûr que je ressemble plus à Ralph, le contraire absolu de John. On se demande d'ailleurs ce qu'ils font ensemble, ces deux-là. Il faut croire que les contraires s'attirent, même entre deux gars. Il n'y a que les esprits bornés (comme le bonhomme Raven, notre voisin) qui ne comprennent pas que l'attirance, ça ne se commande pas. Personnellement, ça ne m'a jamais posé des problèmes. Je connais John depuis que j'ai cinq ou six ans. Quand j'habitais avec mon vrai père, à Montréal, c'était notre voisin. Je savais déjà qu'il était homo. Ça ne m'a jamais dérangé mais, pour être honnête, il faut dire qu'à cause de ça j'étais drôlement dans le trouble depuis que je restais chez Ralph et lui. Plate à dire, mais ç'aurait été vraiment plus simple si j'avais habité avec un couple hétéro. *Anyway...*

Quand j'ai entendu Ralph commander une pizza, j'ai jeté un œil à ma montre. Ça voulait dire qu'il me restait vingt minutes, au maximum, pour regarder la revue et, surtout, rester planqué dans ma chambre.

Honnêtement, je n'avais pas tellement la tête aux photos de Ralph. Autre chose me préoccupait. Il faudrait bien trouver un moyen d'aborder Jeanne si je ne voulais pas passer tout l'été terré dans ma tanière. Marge était presque tout le temps avec nous, elle ne laisserait sûrement pas sa nièce à son condo pendant deux mois. De toute façon, je ne suis pas cave. Je savais bien que si Jeanne était en Floride, c'était aussi parce que Marge souhaitait qu'on devienne amis, elle et moi.

La pizza est arrivée vingt-deux minutes onze secondes après l'appel de Ralph. Le livreur aurait dû nous la laisser gratuitement, mais il n'était pas question que le pauvre gars ait des ennuis à cause de ça. Marge, John et Ralph se sont chamaillés pour savoir qui payerait, puis on est passés à table. Dans la cuisine, l'atmosphère était joyeuse, surtout du côté des adultes. Jeanne et moi, on détonnait. Moi, avec mon air renfermé. Jeanne, avec son air gêné qu'elle essayait de cacher derrière une longue mèche de cheveux qui tombait devant son visage. Les autres, eux, avaient la banane. John n'arrêtait pas de chatouiller Ralph et de lui voler des bouchées de pizza. Marge riait de bon cœur.

— *So*, tu as regardé mes photos dans le revue? m'a demandé Ralph.

— Oui, *cool*.

J'étais totalement bloqué. Deux mots. Même pour parler de photos, je n'y arrivais pas ! Comment est-ce que je m'y prendrais pour parler à Jeanne ? J'étais tellement nul ! Zéro talent ! Pas capable ni d'entamer la conversation ni de l'entretenir. Ce n'était pas les deux ou trois « oui » que j'avais marmonnés pendant la journée qui l'impressionneraient. « Oui, *cool* » n'ajouterait rien à mon score. Découragé, je me suis levé et je me suis dirigé vers le salon. Pour cacher mon malaise, j'ai sifflé en souhaitant qu'un des chiens vienne me rejoindre. Humphrey m'a fait cette faveur.

À dix heures, John m'a demandé d'aller préparer ma chambre pour Marge et Jeanne. Comme souvent, Marge devait être trop fatiguée pour rentrer chez elle ou elle avait peut-être trop bu. De toute façon, je lui prêtais toujours ma chambre de bon cœur : ça me permettait de faire du camping dans le *sun porch* avec les cacatoès. Dormir pratiquement à la belle étoile, ça me plaisait. J'ai donc changé les draps de mon lit et j'ai rangé ma chambre. J'avais envie que Jeanne s'y sente bien. J'ai jeté un coup d'œil à l'ensemble en espérant que les murs bleu nuit et mes photos accrochées un peu partout lui plaisent. Évidemment, je ne lui ai pas parlé de tout ça. Sur le seuil de la chambre, je l'ai invitée à entrer. Après, je lui ai souhaité bonne nuit du bout des lèvres avant d'aller rejoindre les autres dans le salon.

À onze heures, je me suis installé dans le *porch*. Dès que Captain Jack m'a aperçu, il s'est mis à crier :

— *Wake up! Wake up!*

Il n'en fallait pas plus pour crinquer Mister Jones :

— À l'abordage! *For Christ's sake!* répétait-il d'une voix tonitruante.

J'ai vite jeté un drap sur la cage des bavards. Des plans pour que le bonhomme Raven saute sur le téléphone et appelle la police. Puis, étendu sur le lit de camp, j'ai repensé aux yeux de Jeanne quand elle était entrée dans ma chambre. J'avais vu tout de suite que ma chambre l'impressionnait. Ses yeux s'étaient arrêtés sur un gros plan d'un coquillage fossile, qui ressemblait à une oreille géante. L'une de mes photos préférées. J'ai souri. La nuit était bonne. La chaleur était tombée. Quand la musique de John s'est finalement arrêtée, j'ai écouté le silence, qui n'est jamais un vrai silence. La preuve : les oua-ouarons au fond du terrain s'en donnaient à cœur joie. Je me suis demandé s'ils dérangeaient le sommeil de Jeanne.

3

Le lendemain, je me suis réveillée de bonne heure à cause des ronflements de ma tante qui avait trouvé trop bons les cocktails préparés par John la veille. Une question m'a traversé l'esprit : est-ce que ma mère savait que sa sœur faisait autant la fête ? Hum… pas sûr, même si toute la famille de ma mère répétait depuis que j'étais toute petite que ma tante Marjolaine était « tête en l'air sans bon sens ». De toute façon, au courant ou pas, ma mère adorait sa sœur et lui faisait absolument confiance pour s'occuper de moi. D'où l'empressement de mes parents à me catapulter dans cette damnée carlingue de tôle à l'aéroport Pierre-Elliott-Trudeau. L'argument officiel pour me confier à cette « tête en l'air sans bon sens » avait été que je m'ennuierais trop à la maison. La vérité, c'est que mes parents ne voulaient pas que je sois seule pendant deux mois. Mon père serait en Finlande une partie de l'été pour participer à un colloque et faire de la recherche. Ma mère, elle, aurait beaucoup de travail à l'hôpital avec ses patients enfants. L'un comme l'autre n'étaient pas du genre à prendre des vacances, de toute manière. Raison de plus pour me confier à ma tante que j'aimais beaucoup. Celle-ci avait toujours été généreuse et attentionnée avec moi. « Marjolaine au grand cœur », comme l'appelait mon père en se moquant affectueusement.

Même si le soleil commençait à se montrer le bout du nez, ce matin-là, la chambre de Thomas était encore un peu sombre à cause des murs bleu nuit. Elle était vraiment chouette, cette chambre. Je l'aimais bien. Les photos accrochées sur les murs étaient géniales : il y avait comme une lumière qui s'en dégageait malgré l'obscurité. Je ne sais pas si c'était l'effet de cette chambre sur moi, mais je me sentais moins mal à l'aise que la veille. Finalement, j'arriverais peut-être à me sentir bien dans cette maison d'hurluberlus tellement plus mouvementée que mon domicile à Montréal ! À voir comment ma tante Marjolaine s'y amusait et semblait y passer tous ses temps libres, j'avais intérêt à m'y plaire moi aussi.

Entre chacun des ronflements de ma tante, le lieu était plongé dans le silence total. À part moi, toute la maisonnée semblait dormir d'un sommeil profond. Ça, c'était avant que la petite porte aménagée pour les chiens claque deux fois. Une fois pour la sortie de Humphrey, une fois pour celle de Rock (ou l'inverse). En moins d'une minute, les deux boxers se sont mis à japper et le voisin s'y est mis, lui aussi. Apparemment, Humphrey et Rock ne supportaient pas quand Mr Raven époussetait la clôture qui séparait sa cour de celle de John et Ralph. C'est ce que j'appris par la suite. Pour l'heure, le voisin pestait contre les chiens et criait à tue-tête :

— *John Donne ! Call your damned dogs, or I call the police !*

J'ai entendu John maugréer, puis il s'est levé d'un bond. En quatre pas, il était sur le seuil de la porte arrière et rappelait ses chiens. Les boxers ont continué à japper un peu pour la forme avant d'écouter leur maître et de rebrousser chemin. Ma tante a rabattu les couvertures sur sa tête. Elle a marmonné sous les draps :

— C'est pas vrai. Pas encore le fou avec sa clôture…

« Pas encore » : ce n'était pas la première fois qu'il y avait prise de bec, donc. Chaque semaine, le voisin époussetait sa clôture avec un chamois. De son côté, la façade devait être impeccable. Mais les chiens, qu'on aurait dits sensibles à une telle bêtise, ne supportaient pas. Chaque fois, c'était la même histoire. Ils s'acharnaient sur la clôture, tentant d'y grimper avec leurs pattes griffues, pour faire déguerpir ce maudit voisin. Je comprenais maintenant pourquoi la cloison de bois, du côté de John et Ralph, était dans cet état lamentable.

Parlant d'état lamentable… Malgré moi, j'ai ri quand j'ai vu la tête de John et de ma tante au déjeuner, après l'incident qui avait obligé tout le monde à se lever plus tôt que désiré. Disons que les deux fêtards avaient l'air moins frais et dispos que la veille. Ralph, lui, se contentait d'avoir l'air bête (mais c'était peut-être son air habituel du matin). Moins fripé que les adultes, Thomas m'a adressé un sourire maladroit. Il semblait tracassé, lui aussi, par le voisin qui paraissait franchement désagréable. Je ne savais pas si c'était la coutume ou non, mais nous ne nous sommes pas éternisées, ma tante et moi. Après son café, elle a vite ramassé ses affaires :

— On se voit plus tard, OK ? Je dois passer au bureau prendre les épreuves du magazine, a-t-elle dit.

Une fois dans l'auto, elle a pesté contre le voisin. Ça faisait des années qu'il ennuyait John et Ralph, John surtout. C'était difficile à comprendre étant donné que tout le monde l'aimait, John ! Tout le monde le trouvait sympathique, sauf Mr Raven.

— C'est sûr que la maison construite par le père de Ralph avant que le quartier huppé se développe est délabrée. Surtout, à côté de celle de Raven, le maniaque de la pelouse verte et de la peinture fraîche ! Mais ce n'est pas une raison pour leur empoisonner l'existence comme ça ! s'est exclamée ma tante.

— Il y a une autre raison, non ? ai-je demandé.

— Tu veux dire… a articulé lentement ma tante en tournant sa main pour m'inviter à expliquer mon sous-entendu.

— Bon. Les *partys*, mais surtout les gais, j'imagine que ça ne doit pas trop plaire au voisin.

Ma tante a souri :

— En plein dans le mille, ma chouette ! Il y en a qui n'ont pas l'esprit très ouvert, que veux-tu ? *Sad, but true.*

Ma tante a garé sa voiture devant l'immeuble qui abritait les bureaux du magazine.

— Tiens, ici, c'est un immeuble bien chic et bien propre, comme les aime sans aucun doute Raven. Mais, des gais, il y en a sûrement quelques-uns par étage… comme dans tous les milieux de travail. Espèce de nono retardé, a ajouté ma tante pour me faire rire. Tu montes avec moi ?

J'ai accepté avec plaisir, car je brûlais d'envie de voir les locaux de ce magazine de mode et de décoration pour lequel ma tante travaillait comme graphiste.

— Tu vas voir, la *gang* est sympathique. Même si la directrice est un peu stressante, et surtout stressée, m'a confié ma tante une fois dans l'ascenseur.

Quelques étages plus haut, les portes de l'ascenseur se sont ouvertes sur une salle de rédaction pas mal plus *glamour* que la maison de John et de Ralph. Derrière un haut bouquet de lys calla qui lui cachait la moitié du visage, la réceptionniste nous a saluées. Deux minutes de « *Hi, dear ! How are you, honey ?* », puis ma tante s'est dirigée vers le fond de la pièce qui ressemblait à un grand loft. Trois femmes étaient rassemblées dans un coin près d'une large fenêtre. Trois visages se sont illuminés quand ma tante a pointé son nez au-dessus d'un écran d'ordinateur qui les hypnotisait totalement jusque-là. « *What do you think of this one ?* »

ont demandé à l'unisson ses collègues en désignant une maquette à l'écran. Derrière elles, la directrice faisait les cent pas en attendant qu'un choix s'impose. Les femmes essayaient à l'ordi des tonnes de lettrages de formes et de couleurs différentes pour la maquette de la couverture. Elles et ma tante parlaient anglais tellement vite que c'était beau quand je comprenais un mot sur cinq, et encore. N'empêche, je trouvais ça vraiment excitant d'être dans le feu de l'action de la préparation du magazine. Les maquettes, les photos, les croquis… *Wow!*

Quand ma tante a choisi un lettrage rose aux formes arrondies, un « *Yes!* » enthousiaste a fusé dans la pièce. L'étincelle dans le regard de l'inspirée graphiste prouvait qu'elle avait vraiment l'œil. Pas étonnant qu'elle ait gagné un stage de perfectionnement en arts graphiques à New York, dès la fin de son cégep! À voir l'air allumé qui était le sien à ce moment dans le loft, ce n'était pas difficile d'imaginer combien ma tante avait dû être une élève brillante. À l'époque, ses parents, fiers comme des paons, avaient accepté de la voir partir. Il était entendu qu'elle reviendrait après l'été et commencerait l'université. Mais ma tante étant ma tante, les choses ne s'étaient pas déroulées exactement comme prévu… Au début, elle était super motivée et super excitée d'étudier à New

York. Les premières semaines du séjour étaient à la hauteur des attentes de ses parents. Elle écrivait des lettres à ma mère et lui racontait ses journées, sa découverte des musées et des artistes comme Andy Wahrol, Keith Haring, Roy Lichtenstein, Jean-Michel Basquiat. L'art mêlé aux graffitis, à la publicité, à la bd, c'était révolutionnaire, elle adorait ! Puis, un jour, comme me l'avait raconté ma mère, les lettres avaient cessé. Toute la famille s'était inquiétée, morfondue totalement. On avait alerté les responsables de l'établissement que fréquentait ma tante, on avait fait appel à la police. Peine perdue.

Que s'était-il passé ? Ma tante était tombée amoureuse d'un tagueur. Squatteur, en plus ! Pendant des mois, elle avait occupé avec lui un immeuble désaffecté, avec à peine de quoi vivre. Malgré les supplications de ma mère, il n'était pas question que mes grands-parents lui envoient de l'argent. « Elle va finir par revenir, cette tête en l'air », répétait sans cesse mon grand-père. Son vœu ne s'est jamais réalisé. Ma tante a fini par quitter son bel artiste rebelle, mais elle est partie s'installer avec un autre Américain qu'elle avait rencontré sur la plage de Long Island. Mon grand-père s'est étouffé en apprenant qu'elle l'avait épousé. Puis, ma tante a quitté son mari. Elle est partie en Californie où elle a rencontré un autre homme. Avec lui, elle a déménagé ensuite en Floride, avant de le larguer à son tour… C'est à Naples qu'elle a rencontré John et Ralph, les meilleurs amis qu'elle ait jamais eus, ce pourquoi elle ne voulait plus s'en aller. Mes grands-parents étaient toujours en colère contre elle parce que, selon eux, elle faisait tout pour gâcher sa vie. Abandon de ses études, mariage avec un Américain idiot, divorce rapide, et maintenant, continuels *partys*… la liste de leurs reproches était longue. Et je la connaissais par cœur, cette liste, pour l'avoir entendue mille fois, à chaque réunion familiale où ma tante ne venait plus depuis longtemps, encore moins depuis qu'elle vivait en Floride.

Dans l'auto, au retour, j'ai demandé à ma tante :

— Tu n'as plus jamais eu de nouvelles de ton amoureux de New York ? Le squatteur tagueur ?

— Wayne ? Mon beau Wayne ! Non. Tu me rappelles des bons souvenirs, ma chouette !

— Est-ce que tu regrettes ?

— Ça fait « vieille matante » de dire ça, mais c'était la beauté de la jeunesse. Aujourd'hui, c'est autre chose. Hum… Ça t'a impressionnée, hein, cette histoire new-yorkaise ? Tu sais… Si tu veux me parler…

En guise de réponse, j'ai gigoté sur le siège de l'auto. Façon de signifier à ma tante que la conversation n'irait pas plus loin. En tout cas, pas plus loin dans la direction qu'elle avait essayé de prendre. Incertaine que mon tortillement aurait longtemps l'effet désiré, j'ai été soulagée de constater que nous arrivions au stationnement du condo. J'ai descendu l'allée de pavés bordée de fleurs luxuriantes presque en courant : en moins de deux, j'étais devant l'entrée de l'appartement, à tenir la porte à ma tante et à sa pile de documents. Une fois la pile déposée sur son bureau situé dans un coin du salon, ma subtile inquisitrice a branché son portable. À mon grand soulagement, elle a laissé tomber son interrogatoire :

— Si tu veux, tu peux profiter de la piscine pendant que je travaille un peu, il n'y a jamais personne. En fait, Mrs Liamson est presque toujours là, mais elle a toujours le nez dans un livre, nez qu'elle a très gros d'ailleurs. Ça va aller ?

Je ne demandais pas mieux que de me sauver à l'extérieur, surtout par un beau temps pareil. Je suis allée mettre mon bikini, j'ai pris une serviette et quelques revues de design empilées sur la table basse du salon. Ma tante Marjolaine avait raison : Mrs Liamson était installée sur une chaise longue, le nez effectivement plongé dans un livre. Quand elle a émergé de sa lecture pour me saluer, j'ai retenu un fou rire. C'était vrai que son nez était plutôt gros. Pour me calmer, j'ai plongé dans la piscine. J'ai fait quelques longueurs, avant de patauger dans la partie moins creuse. Ça m'a rappelé l'époque où j'allais me baigner chez ma tante, qui habitait alors dans l'État de New York, à moins de deux heures de Montréal. J'adorais aller chez elle les fins de semaine avec ma mère.

Une fois mon barbotage terminé, je me suis installée à l'ombre, loin de Mrs Liamson. J'ai feuilleté une première revue, une deuxième… Ça m'inspirait, tout ça. J'ai regretté de ne pas avoir apporté ma tablette à dessin avec moi, à l'extérieur. Tant pis. J'avais encore à l'esprit les croquis du magazine. J'ai fermé les yeux pour dessiner dans ma tête.

J'ai dû m'endormir sans m'en rendre compte. Quand j'ai ouvert les yeux, ma tante était debout près de moi, changée, parfumée et maquillée. Elle avait son allure chic et décontractée habituelle.

— Ça te dirait de venir « shopper » un peu ?

« Shopper » ? Ça m'a pris trois secondes pour comprendre. « Oui, oui », ai-je dit.

— Après, on ira chez John pour le *happy hour*, a ajouté ma tante.

Deux secondes, cette fois, pour traduire : « *happy hour* » égale « heure joyeuse » égale « aller prendre un verre chez John ». Encore ? Ça ne s'arrêtait donc jamais, ces *partys* ? Mon bref silence a refroidi l'enthousiasme de ma délurée gardienne :

— Sur la route, on arrêtera manger un hamburger, ça te va ?

Après tout, ma tante avait promis à sa grande sœur qu'elle prendrait bien soin de moi. J'ai souri à ma tutrice bien intentionnée, puis j'ai couru vers le condo pour troquer mon maillot contre des jeans et une blouse. Une demi-heure plus tard, j'étais attablée devant un hamburger géant que je ne savais pas par quel bout attaquer. Comme si ma tante s'était dit : « Il faut que je la nourrisse, cette petite ! Donnons-lui des tonnes de protéines, vite ! » Mais c'était peut-être tout simplement le format standard d'un hamburger américain. Tout était BIG, ici.

Abandonnant vite toute considération nutritionnelle, ma tante m'a lancé avec son air taquin et complice :

— Alors, comment trouves-tu Thomas ?

— Spécial, ai-je répondu.

— Il ne parle pas beaucoup, hein ? a-t-elle ajouté en riant.

Comme réponse, j'ai levé les yeux vers le plafond. Ma tante s'est penchée vers moi. Dans mon oreille, elle a murmuré :

— Avoue : *he's really cute*, non ?

J'ai rougi, puis j'ai ri. Bien sûr que Thomas était beau ! Plus sérieuse, elle a ajouté :

— Avec Thomas, il faut aller lentement et lui donner du temps. Tu n'es pas pressée, toi non plus, n'est-ce pas ?

Elle est restée silencieuse un moment, perdue dans ses pensées. À cause de sa dernière allusion, j'ai eu peur qu'elle essaie encore une fois de revenir sur le sujet qui me mettait mal à l'aise. Finalement, non. Il était toujours question de Thomas. Elle m'a regardée :

— Le pauvre chou n'a pas eu une enfance facile, tu sais. S'il n'y avait pas eu John et Ralph, mes deux petits cœurs en or…

Sans que j'aie besoin d'ouvrir la bouche, ma tante a compris ma question.

— Parler du passé de Thomas, ce serait le trahir. Mon petit doigt me dit qu'il le fera lui-même. Patience ! Ça viendra !

Ma tante a repoussé l'assiette de frites qu'elle avait à peine touchée et elle m'a fait un clin d'œil :

— Je suis certaine que tu ne le laisses pas indifférent. *Trust me.*

Thomas s'intéressait à moi ? Tiens, tiens ! Ça faisait plaisir à entendre ! Parce que ce n'était pas l'empressement d'escargot de Thomas-le-timoré à mon endroit qui pouvait permettre de le deviner…

4

Dix stupides « Oui », « Non », « Ouais », au max, ç'a été mon exploit pendant la première semaine des vacances de Jeanne. La deuxième semaine, pas la peine d'en parler non plus : au mieux, j'ai dû faire deux ou trois phrases complètes. Et même pas inté-ressantes. Marge avait sûrement prévenu Jeanne que j'étais tranquille comme gars, mais je ne sais pas comment elle l'avait convaincue de venir passer l'été en Floride (ni pourquoi d'ailleurs). Elle avait dû trouver mieux à lui dire que : « Viens donc t'ennuyer avec un énergumène muet qui n'a pas d'amis et qui ne fait rien de palpitant de ses journées », mais quoi ? En même temps, quelque chose me disait que passer la journée en *gang* à la plage ou aux arcades, ce n'était peut-être pas le genre de Jeanne, non plus.

J'ai réfléchi pour trouver ce que j'avais de mieux à lui offrir.

Le matin du 4 juillet, j'ai ramassé mon courage pour proposer une excursion à cette pauvre fille de Montréal qui devait commencer à s'embêter pour vrai en Floride avec un navet comme moi pas capable d'aligner plus d'une dizaine de mots de suite. Cette journée-là, Jeanne était seule, installée dans le salon, une tablette de dessin sur les genoux. Quand je suis entré dans la pièce, elle a levé les yeux vers moi derrière sa longue mèche de cheveux. J'ai éclairci ma voix :

— Si tu veux, on pourrait aller au bord de la mer. Je pourrais te montrer l'endroit où je fais de la photo.

Jeanne est restée estomaquée par ma proposition, j'ai bien vu. Puis, elle a essayé de chasser cet air de « C'est pas vrai ! Je rêve ? Enfin, il se déniaise ! ». Elle a plutôt demandé :

— Tu fais des photos, toi aussi ? Comme Ralph ?

J'étais sûr qu'elle le savait déjà, mais c'est vrai que je ne le lui avais jamais dit. Je pensais qu'elle avait deviné après avoir vu les photos accrochées dans ma chambre. Comme si elle lisait dans mes pensées, Jeanne a ajouté :

— Les photos dans ta chambre, c'est de toi, alors? *Wow!*

En entendant ça, je me suis senti fier. Je l'ai remerciée. Le pétillement dans ses yeux, ça faisait plaisir à voir. Tout de suite, elle a accepté mon offre. Pas difficile de deviner que ça faisait longtemps qu'elle attendait un *move* de ma part. J'ai prévenu John et Marge qu'on allait faire un tour à la plage. John a eu envie de me taquiner en apprenant la nouvelle, mais il n'a rien dit de plate. Il semblait content. «*Have fun*», il a dit. Rien d'autre. De son côté, du *fun*, il en avait déjà beaucoup. Dehors, le *party* était déjà commencé. C'était *Independence Day*, ce jour-là. Aux États-Unis, on fête ça en grand, la fête nationale. Il faut aussi dire que Ralph (qui ne fait jamais rien comme les autres) était parti en photoreportage dans les Everglades pour toute la fin de semaine. Dans ces occasions-là, John en profitait souvent pour inviter des amis fêtards que Ralph ne pouvait pas supporter. Paul, un ex de John, avait débarqué la veille. D'autres étaient arrivés le matin. Au moment de partir, on a croisé Dorothy, une bonne amie de la maison, méconnaissable depuis qu'elle n'était plus secrétaire au Pretoria High School, surtout parce que son mari avait eu la brillante idée d'attendre qu'elle prenne sa retraite pour lui annoncer qu'il la quittait pour une autre femme. Résultat : depuis un mois, la pauvre était complètement déboussolée. Elle est sortie de sa voiture déjà un peu soûle, le sourire fendu jusqu'aux oreilles. Je me suis dit que ce serait beau plus tard dans la journée.

J'ai prêté mon *bike* tout neuf à Jeanne. Un Rafaeli tout-terrain, rouge, vingt-quatre vitesses. Cadeau de John et de Ralph pour mon anniversaire. Moi, j'ai enfourché la vieille bécane rouillée de John. Après quelques coups de pédale, Jeanne a eu l'air plus sûre d'elle. Elle a arrêté de zigzaguer dans tous les sens et j'ai été plus tranquille. Quand les roues de mon beau vélo sont arrivées vis-à-vis de celles de la vieille bécane, j'ai souri à Jeanne. Un vrai sourire. J'ai réussi à articuler clairement :

— Tu vas voir, c'est un beau coin.

Plus on approchait de la plage sauvage que je voulais lui faire découvrir, plus je me sentais à l'aise. «À l'aise», c'est peut-être un peu fort. Disons, capable de faire des phrases complètes. En face du quai qui avançait dans la mer, j'ai fait signe à Jeanne de prendre à gauche le sentier de terre qui longeait la rive. On entrevoyait l'eau entre les palmiers. Jeanne a dit que c'était beau. «Beyond-the-Pier», c'était comme ça qu'on surnommait l'endroit. C'était un des rares coins où il n'y avait ni maisons ni condos ni hôtels. Je n'y rencontrais à peu près personne. Jamais de touristes, juste des *natives*, et encore il n'y en avait presque pas. C'était mon territoire. C'était ici que j'avais pris le plus de photos. On est descendus et j'ai appuyé les deux vélos contre un palmier. Dès qu'elle a mis le pied à terre, Jeanne a ôté ses Converse et a touché le sable avec ses pieds.

— J'aime vraiment le sable, ici.

Sa remarque m'a fait plaisir. J'adore le sable de Naples. Il n'est pas ultra fin et beige comme à d'autres endroits de la Floride. Ce n'est pas de la petite poussière fine. Ça reste du coquillage blanc, concassé en gros morceaux. Pour faire des macro-photos, c'est l'idéal. J'ai dit à Jeanne que je lui montrerais quelques-unes de mes photos à notre retour. Sur place, pour lui donner une idée du résultat, j'ai fait un gros plan du sable avec ma caméra. Jeanne est restée silencieuse longtemps, penchée sur ma photo. Ses cheveux ont frôlé mon bras. Ça m'a fait frissonner. Elle a murmuré, d'un ton admiratif :

— Vraiment impressionnant ! C'est difficile à décrire... C'est comme si la réalité, fixée d'aussi près, devenait abstraite ou plus belle... C'est comme la réalité transformée en quelque chose d'autre, en quelque chose d'encore plus beau...

Sa réflexion m'a soufflé :

— Je n'aurais jamais pensé expliquer ça comme ça ! Brillant !

Jeanne a eu l'air étonnée. Elle m'a poussé du coude timidement :

— N'exagère pas! Tu trouves?

À voir sa réaction, j'ai pensé que Jeanne n'était pas quelqu'un qui devait recevoir souvent des compliments. Je ne sais pas pourquoi. Une intuition, comme ça, fondée sur pas grand-chose, à part sa gêne quand je l'ai félicitée. Mon idée n'était pas de la mettre mal à l'aise. Déjà que je l'étais un peu, moi-même. Ça me troublait, comment l'énergie passait entre nous deux. En essayant de ne pas cafouiller, je lui ai demandé si elle avait envie de se baigner. Nager ici-même, en étant prudent, c'est sûr.

— «*No life guard, no foolish action*», c'est ce que me répète toujours John.

Jeanne a paru déconcertée par ma remarque. Comme si cette phrase avait résonné bizarrement pour elle. Ça faisait deux troublés.

— Vas-y, toi, ne te gêne pas. Je n'ai pas eu souvent l'occasion de m'étendre sur la plage depuis mon arrivée, je vais en profiter un peu.

J'ai fait ni un ni deux, j'ai ôté mon t-shirt, j'ai couru en direction de la mer. Trois grandes enjambées dans l'eau, puis j'ai plongé tête première. J'ai émergé de l'eau plus loin en reprenant une grande respiration, mais quand j'ai vu la hauteur de la vague qui s'apprêtait à m'éclater en pleine face, j'ai replongé. Je suis disparu dans le rouleau de la vague. J'ai ressorti la tête de l'eau beaucoup plus loin, là où les vagues rouleraient sans me casser à la figure. J'ai commencé à nager. J'étais franchement loin du bord. C'était imprudent, j'avoue. Peut-être que je voulais impressionner Jeanne. Ou peut-être que j'avais envie de tester ma chance.

S'il m'avait vu, John aurait explosé! Il a beau être le genre de gars toujours de bonne humeur qui ne se fâche pas souvent, les cinq ou six fois où je l'ai vu en colère... *My god!* Chaque fois, c'était parce que j'avais fait une connerie et qu'il s'était inquiété pour moi. John ne niaisait pas avec ça. Une fois, j'étais allé photographier les alligators seul, sans Ralph. J'étais parti à vélo. J'avais roulé presque deux heures avant d'arriver à l'endroit où Ralph m'avait déjà emmené. Je m'étais approché des alligators en douce et j'avais pris plein de photos. Ce n'était pas exacte-ment prudent. Quand j'étais revenu à la maison, John m'attendait, inquiet solide. Je n'avais pas eu le choix de lui dire où j'étais allé : si je ne lui avais pas dit la vérité, les photos de ma caméra l'auraient fait. Il était devenu bleu marin. Ralph était rentré plus tard et John lui avait fait la gueule toute la soirée, sans qu'il sache pourquoi il méritait ça! Pour certaines choses, c'étaient des vrais pères poules, John et Ralph! Mais c'était rarement pénible. Ils me laissaient respirer et ils prenaient bien soin de moi. Pas comme mon prétendu vrai père... Juste de penser à ce taré, j'étais tellement plein de colère !

Quand je suis revenu à moi, j'étais en train de nager les poings serrés, beaucoup trop loin du rivage. *Shit !* Pendant un instant, j'ai failli paniquer, prendre un bouillon et caler jusqu'au fond. Puis, j'ai pensé à John qui m'avait appris comment nager longtemps en respirant bien et en contrôlant mes mouvements. Tranquillement, le bord de la plage a paru possible à atteindre. Puis, j'ai fait mes premiers pas sur la terre ferme en titubant, encore un peu sonné. Au fur et à mesure que j'avançais vers Jeanne, le sable devenait plus chaud sous mes pieds et réchauffait mon corps. Ça m'a fait du bien.

Jeanne souriait, assise sur une souche, à l'ombre. Quand j'ai été près d'elle, elle m'a fait une place. Sous mon poids, la souche a tangué et on s'est retrouvé nez à nez. On a ri tous les deux. Jeanne a relevé une mèche de ses cheveux.

— Tu n'es pas allé un peu trop loin, par hasard ?

— Peut-être, oui.

— « *No lifeguard, no foolish action* », hein ? a dit Jeanne en se moquant de moi.

— Ne dis rien à John, OK ? Tu ne l'as jamais vu fâché !

Jeanne a froncé les sourcils, l'air inquiet. Je ne sais pas ce qu'elle s'imaginait au juste, mais je l'ai rassurée :

— Il ne serait pas content, c'est tout. Pas nécessaire de l'énerver. Je suis en vie, non ?

Jeanne a fait un demi-sourire, plutôt *weird*. Elle a dit d'un ton sérieux :

— Je comprends. Inquiéter ses parents... je veux dire, des adultes... quand ce n'est pas nécessaire...

Je n'ai rien ajouté. Jeanne non plus. On était ensemble, perdu chacun dans nos pensées. Mais ensemble. Bizarre comme sensation. Comme si je connectais mieux avec mes sentiments assis à côté de Jeanne. Je me suis demandé si c'était la même chose pour elle. On est restés comme ça, je ne sais pas combien de temps, mais la lumière n'était plus la même que lorsqu'on était arrivés.

À un moment donné, un pélican s'est posé en face de nous, au bord de la mer. Lentement, je me suis levé. J'ai mis la main sur mon sac à dos. J'ai sorti ma caméra. J'ai fait quelques pas dans le sable, très doucement. J'ai photographié l'oiseau le bec dans l'écume de mer, en train de fouiller le fond de l'eau pour trouver quelque chose à manger. Puis, je suis revenu vers Jeanne et je lui ai tendu ma caméra :

— C'est l'heure parfaite pour les pélicans. Regarde les rayons du soleil sur le duvet de son cou... C'est là qu'ils sont les plus beaux, je trouve.

Jeanne m'écoutait d'un air intéressé. J'ai continué :

— Ralph m'a appris qu'il y a une heure pour photographier chaque chose. Flamants, mouettes, sable, coquillage, palmiers... Il faut être attentif. Patient, surtout. On n'arrive à rien en brusquant. Sauf peut-être si on fait s'envoler tout un groupe de flamants roses, par exemple. Encore là, ça peut flopper au lieu de flamboyer si on n'a pas le temps de faire la bonne mise au point...

Jeanne a semblé réfléchir. Puis, elle a dit sur un ton un peu mystérieux :

— T'as certainement raison, il ne faut rien brusquer. C'est mieux d'être patient.

Je ne sais pas pourquoi, mais j'étais sûr que Jeanne ne faisait pas juste référence à la photo en disant ça... J'étais assez intelligent pour savoir que les filles parlent souvent en paraboles, mais là, dans le cas de Jeanne, ça faisait un paquet d'allusions spéciales. Assez en tout cas pour que je commence à la trouver vraiment intrigante. D'autres gars auraient pu la trouver trop compliquée, moi, ça m'attirait. Par contre, pas question que je lui demande d'expliquer ses remarques. *No way.*

5

À bonne distance de la maison de John et de Ralph, on entendait Lady Gaga s'égosiller dans la cour. Sur sa bicyclette, Thomas a soupiré :

— Ça promet…

Ça m'a fait plaisir d'entendre la voix de Thomas. Pendant un instant, j'avais craint qu'il n'ouvre la bouche que sur la plage et pas à la maison. Fiou ! Je l'avais trouvé chouette avec ses commentaires sur la photo, je ne voulais pas que ça s'arrête. J'étais vraiment contente de notre journée. J'étais loin de me douter que les heures qui suivraient viendraient tout chambarder !

À voir l'attroupement qu'il y avait devant la maison avant même qu'on s'engage dans l'allée, il ne devait pas y avoir grand-monde qui profitait de la musique dans la cour arrière. Curieux, Thomas et moi, on s'est mêlés au caucus turbulent. Ça jacassait, ça marmonnait. La seule voix clairement audible, forte, du genre à défoncer un tympan, c'était la voix aiguë et folle de Mr Raven. Au centre du groupe, le voisin trépignait de colère. Son doigt pointait au loin des marques de pneus presque invisibles qui faisaient le tour de sa maison sur la pelouse. John se tenait devant le voisin rouge tomate. Ivre, il avait toute la misère du monde à retenir son fou rire.

— *It's enough. Are you crazy or what? This time, I'm calling the police!* hurlait Mr Raven, insulté.

Les « marques » sur la pelouse étaient l'œuvre de Dorothy. Pour faire rire la *gang*, elle avait parié qu'elle ferait le tour de la maison du voisin avec sa voiture. Ce qu'elle avait fait, avant de retourner chez elle, évidemment sans appeler Nez rouge Floride… C'était évident que le voisin était plus insulté par l'affront que par le prétendu massacre de sa pelouse : les sillons laissés par l'auto sur le gazon, c'était un peu comme lorsqu'on passe sa main sur un tapis pour en changer le sens des poils. Le sens des « poils » de son gazon était inversé et Mr Raven ne le prenait pas. Il était offensé, voilà tout. John a relevé la sempiternelle casquette qu'il avait toujours sur la tête. Il a tenté d'être plus sérieux :

— *Look, I told you, I'm sorry. Tomorrow, I will fix it for you. Promised*, a-t-il commencé.

Sans prêter attention à la proposition de John de réparer les dégâts imaginaires causés à son terrain, Mr Raven a tourné les talons en marmonnant : « *You… faggot.* » En furie, il est parti vers sa maison et a claqué la porte en rentrant chez lui. John a balayé l'air avec son bras, en piquant du nez vers l'avant, façon soûle de dire « Bah ! Laissons ça ! ». Puis, il a remarqué notre présence. Joyeux, il a lancé :

— *Hi, kids !*

Je n'avais jamais vu John aussi pompette. Trop de Tequila Sunrise sous le soleil, je pense. À peine Mr Raven rentré, il a invité tous ses amis à reprendre la fête dans la cour. En anglais, il a dit quelque chose comme : « On ne va pas se laisser déprimer par un casse-pieds pareil ! » Je ne me rappelle plus les termes exacts. Moins ivre que John, ma tante Marjolaine a tenté de le ramener sur terre. Une fois revenue en arrière de la maison, elle a baissé le volume de la chaîne stéréo et a demandé à John d'être plus raisonnable. Elle craignait que la police ne vienne vraiment faire son tour. Insouciant, John continuait à faire le fou. Ma tante l'a regardé dans le fond des yeux, jusque derrière la tête en fait. Elle a pris ses mains dans les siennes.

— *Look*, *John*, tu as trop bu, là. Ce n'est vraiment pas une bonne idée d'attirer l'attention comme ça.

Les dents serrées, elle a insisté :

— *You know what I mean, no ? Wake up !*

Finalement, la demande de ma tante a fait son chemin dans la caboche embrouillée de John. Le message s'est enfin rendu au cerveau. Soudain dégrisé, John réalisait ce que pouvaient être les conséquences de cette histoire. Il s'est assis lentement sur une chaise. Il a retiré sa casquette et a passé la main dans ses cheveux :

— *Come on, friends ! Party is over.*

Pendant tout ce temps, Thomas était resté silencieux, visiblement mal à l'aise. Il m'a saluée de la main, avec un sourire triste. Puis, il est entré dans la maison. On aurait dit que ses jambes pesaient cent kilos chacune. John a émis un faible « *Gosh* », comme s'il admettait avoir tout gâché. Sa mine défaite faisait pitié à voir. Ma tante a essayé de lui remonter le moral. Elle l'a secoué par les épaules, affectueusement :

— *It's not your fault, John.* Malheureusement, Dorothy est un peu frustrée, ces temps-ci. L'insupportable Raven a écopé. Qu'est-ce que tu pouvais y faire ?

Malgré ces mots, il y avait encore de la nervosité dans l'air. Pour parler gothique, on aurait dit que l'ombre noire du châtiment planait sur le *bungalow* blanc. Tout était devenu calme (anormalement calme pour qui connaissait cette maison), mais personne n'était vraiment tranquille. Le temps était suspendu. Finalement, une voiture de police a atterri dans l'allée environ une heure après les menaces du voisin. En compagnie de John, à moitié paralysé de peur, ma tante est allée à la rencontre des deux policiers qui descendaient de l'auto. Avec toute la douceur et la politesse dont elle était capable, elle a expliqué au grand roux et au petit bedonnant qu'il y avait eu une fête – après tout, c'était le 4 juillet, n'est-ce pas ? –, mais que tout était terminé maintenant. Pour continuer cette histoire complètement absurde, John a dit ne pas savoir qui avait fait les « marques » de pneus chez Mr Raven. Un peu dépassés par la situation, les policiers examinaient avec soin ces minimes traces faites dans le gazon en suivant du doigt les « *Look ! Look !* » répétés par un Raven halluciné. Qui pouvaient-ils accuser, sans preuve, sur le seul témoignage d'un voisin complètement hystérique ? Et de quel crime ? Les deux hommes sont repartis. Ils avaient à faire ailleurs dans la ville, ce jour-là. Tout le monde s'est croisé les doigts pour que Mr Raven ne dépose pas officiellement de plainte dans les jours suivants. Mais, selon John et ma tante, rien n'était moins sûr.

Après le départ des policiers et de plusieurs joyeux lurons, le reste du groupe s'est réfugié dans le salon. On entendait tourner les pales du ventilateur, c'est tout. John était assis, sérieux, complètement dégrisé. C'était la première fois que je le voyais immobile et calme. Thomas, lui, n'était pas dans les parages. La porte de sa chambre était fermée. Il était sans doute là, mais aucun bruit ne parvenait de cette pièce.

Paul, l'ex-petit ami de John, s'est levé :

— *Well…*

« *Well…* », comme dans « signal de départ ». John n'a pas prié son invité de rester plus longtemps. Au contraire, il s'est levé presque plus vite que lui. Les deux gars se sont fait une accolade, puis Paul est allé chercher son sac. Comme je ne le trouvais pas particulièrement sympathique, j'étais assez contente qu'il s'en aille. Bon, il faut dire que j'avais une préférence marquée pour Ralph, ce grand taciturne qui me faisait penser à Thomas. John a raccompagné son hôte jusqu'à l'auto en compagnie de Humphrey et de Rock. Par la fenêtre du salon, je voyais les deux boxers sauter de tous bords tous côtés. Tout à coup, les chiens se sont figés sur place avant de bondir de plus belle vers la rue quand la camionnette de Ralph est apparue au loin. John a rappelé ses bêtes pour qu'elles ne fassent pas de grabuge. Paul est vite monté dans sa voiture, sans attendre que Ralph ne sorte de son véhicule. Pas besoin d'être un grand devin pour penser qu'il avait l'air de se sauver.

Ma tante m'a caressé les cheveux :

— On va y aller bientôt, ma chouette, a-t-elle dit.

Sentait-elle une tempête (pas exactement du type météorologique) approcher à l'horizon ? Voulait-elle laisser John et Ralph seuls pour qu'ils parlent et s'expliquent (façon civilisée de dire « s'engueuler ») ? Par la fenêtre du salon, je voyais Ralph qui écoutait John attentivement. Plus John parlait, plus le visage de Ralph se crispait. Finalement, d'une voix qui a franchi la véranda et qui s'est infiltrée dans la pièce par la porte restée entrouverte, Ralph a explosé :

— *What ? Are you crazy ?*

Ralph a tourné les talons devant John et a commencé à vider la boîte du *pick-up*. Il y avait un gros sac à dos et plusieurs mallettes de matériel photographique qui devaient peser quatre tonnes. Ralph a tout transporté d'un seul coup, sans accepter l'aide de John. Ils sont entrés dans la maison, sans dire un mot, les deux chiens piteux à leur suite. Ma tante s'est éclairci la voix. Là, c'était vraiment le signal de notre départ. Mais, au même moment, son téléphone cellulaire a fait entendre les carillons de *Jingle Bells* (je sais, en juillet, c'est ordinaire). Ma tante a jeté un œil à l'afficheur.

— Un appel de Montréal. On va le prendre, ma belle, n'est-ce pas ?

Difficile de dire non. Je m'étais entendue avec mes parents avant mon départ : un coup de téléphone par semaine, minimum. Mes parents voulaient absolument avoir de mes nouvelles et savoir comment se déroulaient mes vacances. Mon séjour en Floride était conditionnel à cette entente.

— Bonjour, Élisabeth, comment vas-tu ? a répondu ma tante en me faisant signe de la suivre vers la cuisine.

À chaque « hu, hu » prononcé, ma tante avançait d'un pas rapide et décidé, gêné une fois seulement : quand les deux boxers, affolés par la chicane de John et de Ralph, sont ressortis en trombe à l'extérieur et lui ont passé entre les pattes.

— Comment nous allons ? Très bien. On passe une petite journée tranquille chez John. Tu veux parler à ta fille ?

Ce qu'il y avait de bien avec ma tante, c'est qu'elle comprenait que moins on inquiétait mes parents, mieux tout le monde se portait. Ça valait pour toutes les situations. Elle m'a tendu le téléphone, puis elle est sortie en refermant la porte derrière elle pour éviter que le vacarme ne parvienne aux oreilles de sa sœur. J'étais contente d'entendre la voix de ma mère, qui était d'ailleurs tout miel :

— Ça va ? Tu t'amuses bien ?

Ma mère était plus attentive et démonstrative que jamais. Je lui ai parlé de Thomas, sans insister sur le fait que ça lui avait pris deux semaines pour avoir de l'allure. Je lui ai raconté qu'il faisait de la photo, sans préciser que j'avais appris la nouvelle quelques heures plus tôt seulement. Sincèrement, elle avait l'air contente. Évidemment, je ne lui ai pas dit un mot de l'incident avec le voisin.

— De votre côté, ça va ?

La veille, ma mère avait parlé à mon père. Il allait bien. Il était en Scandinavie depuis une semaine déjà. Il complétait ses recherches et préparait sa conférence. Je l'imaginais, fou comme un balai à se promener dans une ville dont il ne comprenait pas la langue (pleine de trémas, pleine de « k », pleine de « ø ») et à manger du hareng fumé et des oignons crus au petit déjeuner. Plus c'était compliqué, plus c'était original et détraqué, plus mon père aimait ça ! Même chose pour les théories qu'il échafaudait sur la littérature et auxquelles je ne comprenais rien, même en français.

Dans le domaine du bizarroïde, ma mère n'était pas mal non plus. Elle, c'était à propos des enfants en troubles « cognitif et comportemental » très graves qu'elle élaborait des théories et utilisait des catégorisations aux noms impossibles à retenir. À l'hôpital, elle essayait de soigner des enfants en difficulté qui lui jetaient des objets à la figure ou qui pétaient une crise en lui donnant des coups de pied sur les tibias avant de rouler par terre en hurlant. Mes parents n'étaient pas des adeptes de la simplicité. J'ai repensé à Émile, un enfant avec lequel ma mère avait beaucoup travaillé et dont elle me parlait souvent. C'était un garçon prodigieux qui faisait des calculs mathématiques très complexes, mais qui était incapable d'entrer en relation avec les gens, y compris souvent avec ses parents ou ma mère… Ce côté effarouché, cette difficulté à communiquer… ça m'a rappelé

Thomas. Je n'avais pas aimé qu'il aille s'enfermer dans sa chambre après le spectacle son et lumière de Mr Raven. Comme s'il devait se protéger, se tenir éloigné, mais de quoi?

— Hou, hou, Jeanne, tu es là? a demandé ma mère, inquiète.

— Oui. Ne te fais pas de souci.

Du souci, je ne m'en faisais pas pour moi. Je m'en faisais pour Thomas. Mais ça, je ne l'ai pas dit à ma mère. Après que je l'eus rassurée, elle a paru tranquille. Elle m'a dit qu'elle me téléphonerait la semaine suivante.

En sortant de la cuisine, j'ai jeté un coup d'œil du côté de la chambre de Thomas. Apparemment, je n'étais pas la seule à m'inquiéter : John et Ralph étaient plantés devant la porte qui était toujours fermée. Ralph cognait doucement ses doigts contre le bois :

— *Thomas ?*

Puis, même question de la part de John. Toujours pas de réponse. Ralph a tenté de tourner la poignée, mais le déserteur avait fermé de l'intérieur. John s'est approché. Il a frappé trois coups contre la porte.

— *Thomas ?*

Un petit craquement est enfin parvenu à nos oreilles. Le bruit de quelqu'un qui se retourne dans son lit.

— *Leave me alone !* a finalement crié Thomas, d'une voix étouffée.

La voix d'un gars qui avait la tête enfouie dans son oreiller. Et qui semblait d'une tristesse sans nom.

6

La crise du bonhomme Raven et la visite de la police, c'était trop pour mes nerfs. Ma bonne humeur a fiché le camp et la peur m'a ressauté dessus. D'un coup, j'ai été paralysé. J'étais mort de peur à l'idée d'être obligé de quitter la maison de Ralph et de John. Mort de peur à l'idée d'être placé dans un foutu foyer pour les jeunes. Ou, pire encore, de retourner chez mon père! Je ne savais même pas s'il vivait encore, je n'avais jamais eu de ses nouvelles. ET JE N'EN VOULAIS PAS! J'essayais de me sortir de ma panique. Rien à faire. Ça faisait trois ans que c'était comme ça. Trois ans que j'avais une peur bleue de me faire prendre. D'habitude, c'était moins pire l'été que pendant l'année, au Pretoria High School, où je me tenais vraiment tranquille. Mon surnom, ce n'était pas *the grave* pour rien. Là, ça se présentait mal pour vrai. Ma « chance » (pas sûr qu'on peut appeler ça comme ça) était en train de tourner. Avec la retraite de Dorothy, la situation s'annonçait plus inquiétante. À la rentrée, elle ne serait plus là pour cacher ma situation irrégulière. Finis les coups de pouce pour arranger les papiers d'inscription pour moi. On ne peut pas dire non plus qu'elle m'avait beaucoup aidé en plein cœur de l'été en provoquant Raven ! Sa mauvaise blague avait attiré l'attention de la police sur nous. Un autre souci qui s'ajoutait : la rage folle de Raven, ça s'arrêterait où maintenant ?

La paix, est-ce que je connaîtrais ça un jour ? Quand ? À dix-huit ans ? Mon histoire, ça me faisait penser aux enfants abandonnés au Nebraska dont j'avais entendu parler à la télé. À cause d'une loi mal faite, des parents arrivaient d'un peu partout pour abandonner leur enfant. « On ne peut pas être poursuivis par l'État ? *Yeah !* On largue notre progéniture ! » La loi, c'était pour éviter que des femmes se fassent avorter et pour qu'elles confient plutôt leur nouveau-né à l'État. Mais au Nebraska, on avait oublié de fixer un délai de quelques jours comme dans les autres États. Des morons désespérés en profitaient. Un homme avait abandonné tous ses enfants devant un hôpital, neuf jeunes âgés de un à dix-sept ans. Je me rappelais encore le visage paniqué du plus vieux que j'avais vu à la télé. D'une certaine façon, je me sentais comme ces jeunes. J'avais l'impression que mon père avait traversé la moitié des États-Unis pour venir me domper ici, en Floride. Moi, au moins, j'avais eu la chance d'être recueilli par John et par Ralph. Les pauvres enfants du Nebraska, eux, l'État les envoyait dans des centres d'accueil dégueus. Je ne voulais pas connaître le même sort que ces jeunes. J'avais peur.

J'aurais aimé parler à Jeanne. Je ne m'en sentais pas capable. Pauvre elle! Elle devait se demander où était passé le gars de la randonnée à la plage. Dire qu'au retour je jonglais avec l'idée de lui proposer d'aller chaque jour à la mer! J'avais déchanté et Thomas *the grave* avait vite refait surface. Plate, parce que, cette journée-là, avec Jeanne, ç'avait été différent. Comme si on était seuls, ensemble. Et ça faisait du bien. Et ça faisait qu'on n'était plus seuls, finalement. Trop beau pour être vrai. Après la visite de la police, je me suis refermé sur moi-même plus qu'avant le 4 juillet. Décourageant. Ma carapace s'est encore épaissie. J'espérais que Jeanne comprendrait que ce n'était pas contre elle que j'en avais. J'ai recommencé à me sentir seul, seul.

Un après-midi, Marge est venue me trouver dans ma chambre. Jeanne et elle étaient à la maison depuis des heures déjà et je n'étais même pas sorti les saluer. Pourquoi me défaire de ma carapace si c'était pour aboutir dans un centre d'accueil ? J'étais totalement découragé. Pour que Marge décide d'intervenir, ça devait être sérieux. Ni elle ni John ni Ralph n'essayaient jamais de me faire la morale ou de me reprocher ma façon d'être. Personne n'essayait jamais de minimiser ce que je vivais. Marge n'a pas tourné longtemps autour du pot. Elle s'est assise près de moi, sur le lit :

— *Look, Thomas...* Je comprends comment tu te sens, mais tu es sûr que tu ne peux pas faire un effort ? Pour... Avec Jeanne, je veux dire.

Je suis resté silencieux, mais la remarque de Marge ne m'a pas laissé indifférent, je dois dire. Marge a posé sa main sur mon bras :

— Toi et Jeanne, ça cliquait, non ?

Re-silence. Marge s'est levée.

— Bon, je n'insiste pas. Mais tu lui fais beaucoup plus de bien que tu ne peux te l'imaginer...

Une autre qui se mettait à parler en paraboles. Qu'est-ce que Jeanne avait ? En quoi et pourquoi je pouvais lui faire du bien, je ne le savais pas. Mais quand même, j'avais bien remarqué comment cette belle fille qui se cachait toujours derrière une mèche de cheveux s'était illuminée le 4 juillet. De quoi *feeler cheap*, facile. Et encore plus, quelques heures après, au souper, quand j'ai vu le visage triste de Jeanne.

Sérieuse, elle mangeait, sans sourire, le steak pré-paré par John. Ça ne placotait pas fort, autour de la table, ce soir-là.

À un moment, j'ai surpris un regard complice entre Ralph et Marge. Deux minutes plus tard, Ralph s'est éclairci la voix :

— *I have a proposition for you, kids.* Demain, il faut que je prends des autres photos pour mon repor-tage dans le Everglades. Voulez-tu venir avec moi ? a-t-il demandé dans son drôle de français qui me faisait souvent rire.

C'était tentant en maudit comme proposition ! Les Everglades, en hydroglisseur, en plus ! Ça parais-sait un peu louche que Ralph doive prendre d'autres photos pour son prochain reportage, en plus de toutes celles qu'il avait prises pendant sa fin de semaine du 4 juillet. Ça sentait le gars qui veut faire plaisir plus qu'autre chose. Avec moi, ça réussis-sait. Avec Jeanne, pas sûr qu'il avait pris la bonne méthode. En entendant cette offre, Jeanne a relevé la mèche qui cachait son visage. J'ai souri quand j'ai vu son air. Son visage semblait dire deux choses : « *Wow !* une sortie avec Thomas, qui va peut-être finir par retrouver sa bonne humeur ! » et « Ouache ! une excursion dans les Everglades, avec toutes ces bêtes qui grouillent ! ». Jeanne m'a regardé. Elle a regardé Marge. Peut-être qu'elle espérait que sa tante ne lui permette pas de nous accompagner. Sauf que Marge savait qu'il n'y a pas plus responsable que Ralph et qu'on ne courait aucun risque... même si les alligators ne sont pas exactement des bêtes douces et gentilles.

— Quelle bonne idée! s'est exclamée Marge sur un ton trop enthousiaste pour ne pas être suspect (ça sentait le complot, leur affaire).

Le silence gêné de Jeanne m'a fait sourire. Je connaissais Ralph, je savais qu'il ferait tout pour la rassurer. Et moi aussi. Une balade en hydroglisseur, dans les Everglades, ça ne se refusait pas! Trop extraordinaire, pas question que Jeanne rate ça!

— Il faut partir avant le soleil levé. C'est trop la *humidity* dans l'après-midi. Et la lumière est pas bon pour les photos. *So...* a-t-il conclu en se levant de table.

Après, la soirée a déboulé. John nous a chassés de la cuisine en nous disant qu'il s'occuperait de la vaisselle. Marge et Jeanne ont fait un saut au condo pour ramasser des vêtements appropriés pour l'excursion. J'ai préparé mes choses et la chambre pour mes invitées.

Le lendemain, on est partis très tôt et on est arrivés de bonne heure au site de location des hydroglisseurs. Ralph avait raison. Les Everglades, l'été, ce n'est pas évident. Le soleil nous cuit, les insectes nous dévorent, les vêtements nous collent au corps. Avec un hydroglisseur, on rejoindrait plus rapidement le lieu où Ralph voulait refaire ses photos qu'avec un canot. J'ai aidé Jeanne à prendre place dans l'embarcation. Une fois à bord, tout le monde a eu le sourire. Ralph a mis le contact. Ça n'a pas pris cinq minutes, c'est devenu clair que la balade amusait Jeanne, juste à voir ses yeux. Derrière le volant, Ralph aussi était content. Mais ça, ce n'était pas nouveau : dans la nature, Ralph est dans son élément, plus souriant que partout ailleurs. C'est quelque chose de voir ça, et sa passion devient vite contagieuse, en plus.

C'était une journée parfaite pour l'excursion. Quand la brume du matin s'est levée, on a eu la chance d'observer plusieurs oiseaux : à cause du bruit fait par l'engin, partout sur notre passage, de grands hérons bleus, des spatules roses, des ibis blancs s'envolaient sous nos yeux. C'était franchement impressionnant.

— *Cool!* criait Jeanne à tout moment.

On a glissé sur l'eau comme ça longtemps. Ralph est finalement arrivé près de l'endroit qui l'intéressait. Il a arrêté l'hydroglisseur. Portés par notre erre d'aller, on s'est approchés d'une tanière immergée où se tenait un groupe d'alligators. Ralph a attrapé son appareil photo muni d'un téléobjectif. Il n'en fallait pas plus pour que les alligators tournent la tête vers nous et prennent notre direction. J'ai senti Jeanne frissonner. Je me suis rapproché d'elle sur le banc pour la rassurer.

7

$\mathscr{P}$endant que la bande d'alligators s'avançait vers l'hydroglisseur, l'air menaçant, Thomas s'est approché de moi pour me faire sa toute première confidence. Tu parles d'un moment ! Sacré Thomas ! Doucement, pour ne pas contrarier les alligators et ne pas déconcentrer Ralph qui les photographiait, il m'a soufflé à l'oreille d'un ton rassurant mais plein de colère contenue :

— Ne t'inquiète pas, il n'y a pas de danger. Je préfère mille fois les alligators aux requins de la Child Protection. Ça, c'est une race hypocrite.

Dans ma tête embrouillée par la panique, il n'y avait pas une grande différence entre « alligators » et « requins ». N'empêche, après un certain temps, l'attitude calme des deux gars dans l'hydroglisseur a réussi à me convaincre qu'on ne risquait rien et j'ai commencé à comprendre la remarque de Thomas. L'intervention de la Protection de la jeunesse, c'était donc ce que craignait Thomas depuis la visite de la police ? C'était la première fois qu'il se confiait à moi et qu'il me parlait de ces gens. J'ai senti qu'il avait prononcé la phrase un peu malgré lui, comme si cette idée occupait tellement de place dans sa tête qu'elle s'en était échappée. J'ai respecté le silence qui a suivi. Thomas n'avait pas l'air de pouvoir m'en dire plus et, pour être honnête, j'étais aussi occupée à ne pas quitter des yeux ces méchantes bêtes pré-historiques qui glissaient sur l'eau dans notre direction. J'aurais dû faire quelque chose pour Thomas. J'aurais dû prendre sa main dans la mienne. Thomas devait vivre avec cette crainte depuis des années et il devait être mort de peur à ce moment. Sa phrase prémonitoire, il l'avait lancée avec le sentiment du traqué qui sait que, tôt ou tard, il va se faire prendre.

Thomas a-t-il été soulagé par son allusion à la Protection de la jeunesse ? Ou était-il charmé par notre excursion vraiment fantastique, si j'excepte l'épisode croco un peu trop intense à mon goût ? En tout cas, il semblait moins préoccupé tout à coup. Il m'a souri. Ralph l'a remarqué du coin de l'œil. Ça l'a fait sourire à son tour. Finalement, j'ai essayé, moi aussi, de retrousser la commissure de mes lèvres tremblantes en continuant de fixer, terrifiée, l'hypocrite gueule souriante d'un alligator qui gagnait du terrain et s'était encore rapproché de nous. Ralph a rangé sa caméra et s'est apprêté à redémarrer l'hydroglisseur. À mon tour d'être soulagée.

— On va faire un… détour, *right* ? Je veux montrer à toi un beau île, avec des… mangroves. *I think it's the name in French.*

Quelques heures plus tard, nous sommes rentrés à la maison, tout collants, tout gluants, mais contents, avec des images merveilleuses plein la tête. Ma tante Marjolaine et John étaient assis dans le salon. Bob Watson et sa femme venaient tout juste de quitter la maison. Nous les avions croisés sur la route quelques minutes plus tôt. Ralph est allé rejoindre John sur le canapé. Il a saisi le verre de John et en a bu la moitié. John a ri.

— *Hey you! It's my vodka!* a-t-il dit en mêlant les cheveux de Ralph d'un geste affectueux.

— *Really?* a demandé Ralph avec un air taquin.

Thomas est ressorti de la cuisine avec une assiette de biscuits et deux verres. Il s'est assis près de moi.

— Tiens, un verre de lait. Ça rend moins gaga que l'alcool, m'a-t-il chuchoté à l'oreille.

J'ai ri et j'ai entr'aperçu ma tante décocher un clin d'œil en direction de John. J'ai fait comme si je n'avais rien vu. Thomas a continué sur un ton complice :

— Si tu veux, je peux te montrer les revues dans lesquelles Ralph a publié des photos. On va laisser les gagas entre eux.

Gaga, dans le sens de « contente », c'est moi qui l'étais, avec une offre pareille ! Thomas avait retrouvé la parole et la bonne humeur. En plus, il m'invitait dans sa chambre ! *Wow* ! Le gros lot ! Je ne me suis pas fait prier longtemps et j'ai emboîté le pas à Thomas en direction de sa tanière des derniers jours. Dans la bibliothèque, les revues étaient rangées avec un soin maniaque. À eux seuls, les numéros de *National Geographic* formaient sur les rayons une longue bande jaune d'au moins deux mètres. Il y avait aussi plusieurs *Adventure* et d'autres titres que je ne connaissais pas. Tout fier, Thomas m'a montré un photoreportage de Ralph traduit en français, qui était paru dans *GEO*. Ce n'était pas la première fois que Thomas

feuilletait ces revues. Il les connaissait par cœur !
Un bandeau sur les yeux, il aurait pu attraper
sur les rayons n'importe quel numéro demandé.
Il tournait les pages à une vitesse qui concurren-
çait celle des pales du ventilateur. Il me pointait
une photo du doigt :

— Regarde celle-là ! Ralph l'a prise après
quatre jours de canot sur la Wilderness Waterway.
Le tatou s'est pointé à deux pas de sa tente. À
cinq heures du matin. Ça faisait deux heures que
Ralph l'attendait sans bouger. Débile, hein ?

La photographie passionnait vraiment
Thomas. Quand il en parlait, il s'illuminait
autant que Ralph. Il a continué, emballé :

— J'adore celle-là ! Personne n'a réussi à photographier les panthères de Floride comme Ralph.
Regarde ça ! Il n'y en a presque plus aujourd'hui !

Nous étions couchés par terre, les coudes tout
marqués à force d'être appuyés sur le tapis depuis
un long moment. La preuve ? Dans un coin de la
chambre, les chiens dormaient sur leurs petites
oreilles de boxer derrière une montagne de revues
empilées qui les cachait presque complètement.
C'était tout dire ! Il reste que même si je ne suis
pas une fan finie des photos d'animaux, c'était
vraiment chouette de voir Thomas aussi enthou-

siaste ! Soudain, le fervent admirateur s'est arrêté sur sa lancée :

— Je ne t'ennuie pas, j'espère ?

Mon sourire l'a rassuré. Il a repris de plus belle :

— Ça, c'est un collègue de Ralph complètement fou qui l'a faite. Hallucinantes, ses photos ! Ralph dit que ce n'est pas un bon modèle parce qu'il prend des risques pas croyables, mais regarde ça !

Ça faisait du bien de voir Thomas aussi détendu. On était loin du gars qui craignait la Protection de la jeunesse, du gars inquiet et renfrogné. Les deux Thomas étaient beaux. Mais celui qui regardait les photos en s'extasiant avait l'air drôlement mieux dans sa peau. En tout cas, il était beaucoup plus heureux.

Finalement, notre séance photo s'est terminée au moment où John est venu demander à Thomas de préparer sa chambre pour ma tante Marjolaine et moi. Nous restions donc encore à coucher. À ce rythme-là, ma tante aurait pu sous-louer son condo sans problème ! Thomas a remis en ordre toutes ses revues. Numéro par numéro. Il en prenait soin comme si c'était un trésor qu'il chérissait de tout son cœur. Rien ne semblait plus précieux que ces revues. Trop *cute* à voir !

— Demain, je pourrais te prêter ma caméra. J'aimerais t'amener là où il y a des cyprès solitaires comme tu les aimes. Je te montrerais comment faire de beaux panoramiques, si ça te tente.

La proposition m'a enchantée. Que Thomas ait envie de partager avec moi sa passion, ce n'était pas rien ! Ragaillardie par l'offre, je l'ai aidé à changer les draps. Nos mains se sont touchées sur le coin du duvet. J'ai rougi. Thomas m'a souri. Plus tard, je me suis endormie en pensant à la journée de rêve qui nous attendait. J'étais loin de me douter que « journée de vrai cauchemar » serait une meilleure expression ! Raison ? Quelques heures plus tard, le train-train quotidien du matin que je commençais à connaître se transformerait en E-N-F-E-R à la vitesse de l'éclair. Thomas avait vu juste : la menace qui pesait sur lui était réelle.

La catastrophe est arrivée au petit matin. John buvait sa dernière gorgée de café avant d'aller travailler. Thomas et moi portions à notre bouche une première cuillerée de Lucky Charms (des céréales porte-bonheur : tu parles !). Une voiture s'est arrêtée dans l'entrée. En entendant le bruit des portières, Humphrey et Rock se sont rués dehors en hurlant, un vrai boucan. Dès que le premier visiteur inattendu a mis le pied sur la seule marche qui tenait encore devant la véranda, Captain Jack s'est mis à crier : « *Wake up ! Wake up !* », suivi de Mister Jones : « À l'abordage ! *For Christ's sake !* » On aurait dit que toute la maisonnée se préparait au branle-bas de combat. Thomas, sur le qui-vive depuis trois ans déjà, s'est levé d'un bond. J'ai à peine eu le temps de détacher les yeux de mon bol de céréales, sa chaise était déjà renversée et il quittait la cuisine en courant. Une seconde plus tard, la porte arrière claquait derrière lui. Ce n'était sûrement pas la première fois qu'un jeune tentait d'échapper à la Protection de la jeunesse, car l'inconnu s'est précipité à son tour à l'extérieur en entendant le vacarme. De la fenêtre du salon, je l'ai vu vérifier dans quelle direction s'enfuyait Thomas. En moins de deux, il s'est lancé à sa poursuite. Ralph a eu toutes les misères du monde à retenir John qui voulait rattraper le travailleur social. Hors de lui, il criait à tue-tête : « *Don't touch my boy !* »

— *Can I ?* a demandé comme si de rien n'était la travailleuse sociale restée sur place.

Selon Bridget Easton (c'est comme ça qu'elle se nommait), il valait mieux discuter pendant que son collègue tentait de rattraper Thomas. John l'a regardée en soupesant l'idée de lui arracher la tête.

C'est en tout cas l'impression que ça donnait. Moins violente, ma tante a invité tout le monde à s'asseoir dans le salon. Je savais que ma tante n'était pas d'accord avec cette intrusion, mais qu'elle ne voulait pas aggraver le cas de Thomas. Tout le monde parlait en anglais, mais je comprenais l'essentiel. Devant un café, Bridget Easton s'est mise à parler doucement, cherchant à apaiser tout le monde, réussissant plutôt le contraire. John et Ralph rageaient de l'intérieur. Ils essayaient de se contenir, mais c'était plus ou moins réussi, comme tentative. Ma tante les tempérait à tour de rôle en leur tapotant l'épaule de sa main.

— *Understand ?* répétait l'intruse comme un perroquet, d'une voix trop calme qui tapait sur les nerfs.

Bridget Easton pesait chacun de ses mots. En même temps, on les sentait appris par cœur, convenus, entendus. Il était question d'irrégularité, d'adoption illégale, du bien-être de Thomas, de la nécessité de lui trouver une vraie famille normale (Bridget Easton n'a pas insisté sur ce mot, mais elle a murmuré rapidement : avec un père et une mère). En tout cas, cela, elle l'a dit clairement, il fallait à Thomas une famille d'accueil dûment attitrée par l'État. À un certain moment, il a été question des vrais parents de Thomas, une histoire de citoyenneté américaine, mais je n'ai pas bien compris de quoi il était question exactement.

John et Ralph ne savaient pas trop quoi répliquer. On sentait qu'ils ne voulaient pas faire de gaffe, commettre un geste irréparable qui aurait nui à la cause de Thomas. Les pauvres, ils faisaient pitié à voir ! J'avais envie de dire à cette femme qui était tout heureuse de faire consciencieusement son travail en ânonnant des bêtises : « Ces deux gars-là aiment Thomas comme personne, ça se voit, non ? Pourquoi pensez-vous qu'il a pris ses jambes à son cou ? Parce qu'il rêvait que vous vous occupiez de lui, peut-être ? Allez voir ailleurs, là où il y a des jeunes vraiment malheureux et malchanceux ! Il est aimé ici, celui-là ! » Ma tante Marjolaine a commencé à discuter avec Bridget Easton. Peut-être qu'entre femmes… Elle tentait de l'amadouer. J'ai pensé à ma mère, si habile avec les mots. Habituée d'écouter, d'analyser, d'expliquer aux parents ce que vivait leur enfant… peut-être qu'elle aurait su comment convaincre Bridget Easton. En même temps, elle ne réussissait pas à tout coup. La preuve, avec moi… J'ai eu envie de crier. Un vrai cri de révolte, plein de rage. Ça m'a pris tout d'un coup. Mais je n'ai rien fait. Je suis restée figée, bouche bée, comme John et Ralph.

Puis, le jappement des chiens et le fameux cri des cacatoès nous ont avertis que l'autre travailleur social était de retour. Il est entré dans la pièce, seul, contrarié, complètement en nage. Nous n'avons pas pu nous empêcher de sourire discrètement. John, toujours aussi subtil, a laissé échapper un « *Yes!* » bien senti. Ralph et ma tante l'ont regardé avec des yeux exorbités et mécontents. L'homme, qui s'appelait Sam Lewis, n'était peut-être pas carrément homophobe, mais il n'avait pas l'intention de mâcher ses mots ni de ménager qui que ce soit. Pour lui, c'était simple, Thomas n'avait pas d'affaire dans cette maison. En gros, ce qu'il a dit, c'est que tôt ou tard, ils mettraient la main sur Thomas ; qu'il valait mieux, dans l'intérêt de tous, et en premier lieu de Thomas, que John et Ralph soient coopérants ; blablabla, je me suis sentie mal. Il a continué sans mettre de gants blancs : on ne savait pas à quel danger Thomas s'exposait en fuguant comme ça ; il avait vu des cas, des histoires semblables, très mal finir. Une vraie tête à claques. Finalement, le sans-cœur s'est levé en concluant qu'ils reviendraient le lendemain. Si Thomas n'était pas rentré alors et qu'ils étaient toujours sans nouvelles de lui, il faudrait prévenir la police.

— *We always proceed like this with that kind of case*, a-t-il ajouté, aussi chaleureux qu'un bloc de glace.

« Nous procédons toujours comme ça avec ce genre de cas »… Tu parles ! J'ai vu Ralph serrer les mâchoires en donnant la main à Bridget Easton et à Sam Lewis. John ne s'est pas levé. Se plier à ces politesses d'usage, c'était lui demander l'impossible. Il a détourné la tête. Il avait les larmes aux yeux. Bridget Easton a regardé ma tante d'un air gêné avant de quitter la maison.

Cinq jours après sa disparition, nous étions toujours sans nouvelles de Thomas. Personne ne l'avait revu depuis qu'il avait semé Sam Lewis. Pas de coup de téléphone non plus pour nous rassurer. John était nerveux sans bon sens. Il faisait les cent pas dans le salon. Ma tante Marjolaine tentait de trouver les mots pour rassurer son ami, malade d'inquiétude. La maison en perpétuel *party* était devenue grave et silencieuse. Même les deux cacatoès qui faisaient toujours un boucan d'enfer dans l'entrée avaient cessé de jacasser. Où Thomas était-il donc passé ? Il fallait à tout prix le retrouver avant la Protection de la jeunesse. John avait fait quelques appels. Il avait aussi visité deux ou trois jeunes que Thomas connaissait (parler d'amis serait exagéré). Sans succès. Nous attendions le retour de Ralph, parti explorer la ville une centième fois dans sa camionnette.

Quand Ralph est rentré, il s'est affalé sur le canapé du salon. Il a frotté ses mains contre son visage comme pour se débarbouiller. Peine perdue : les signes de découragement s'y creusaient de plus en plus chaque fois qu'il revenait bredouille d'une expédition. J'ai pensé qu'un jour il faudrait que je dessine son visage si long et si triste.

— *Something new ?* a demandé ma tante en posant sa main sur l'épaule de Ralph.

— *This kid makes me crazy. Gosh, where is he ?* a-t-il demandé, la voix cassée.

Tout le monde aurait préféré entendre Ralph dire qu'il avait enfin trouvé Thomas. Personne n'a répondu à cette question. Comment savoir où s'était réfugié un gars de quinze ans, rusé et en bonne condition physique ? Il pouvait s'être enfui à des kilomètres de la maison, mais il pouvait aussi être caché tout près.

— Je vais aller à le chercher encore tout l'heure, a ajouté Ralph dans son français approximatif.

John a dit, d'un ton découragé :

— *It's enough for today, Ralph.*

Tout le monde avait une face d'enterrement. Pendant longtemps, plus personne n'a dit un mot. Nous sommes restés assis dans le salon, sans que personne ne se rende compte que le soleil était parti rayonner ailleurs. Quand la noirceur a été totale, ma tante a allumé la lampe du salon. Puis, elle a essayé de rassurer tout le monde :

— *Thomas is a wise guy, be confident…* Si vous voulez, on peut passer la nuit ici avec vous, Jeanne et moi.

John a adressé un faible sourire à ma tante. Sa proposition a eu l'air de le réconforter un peu.

— *You're so sweet, Marge.*

Pour aider moi aussi, j'ai offert d'aller préparer la chambre. Peu après, ma tante est venue me rejoindre. Elle a passé sa main dans mes cheveux :

— Ne t'inquiète pas, on va le retrouver, ton Thomas.

« Mon » Thomas ? L'expression m'a fait tout drôle. Drôle, chouette. « Mon » Thomas ? L'idée me plaisait. Elle me faisait du bien. Je me la suis répétée des dizaines de fois : « Mon Thomas. Mon Thomas. Mon Thomas… » Sans soupçonner la joie qu'elle avait fait naître en moi avec son mot de trois lettres, ma tante a enfilé le t-shirt SWEET DREAMS de John et s'est mise au lit. Elle a éteint la lampe de chevet et s'est vite endormie. Moi, je n'arrivais pas à trouver le sommeil. Je n'arrêtais pas de penser à Thomas. Était-il en sécurité ? Avait-il un toit pour s'abriter ou couchait-il dehors ? Se sentait-il abandonné ? Était-il désespéré ? J'ai essayé de lui envoyer toutes les ondes positives que je pouvais pour qu'il ne se sente pas seul. Finalement, la respiration régulière de ma tante a fini par me calmer. Je me suis tournée vers le mur et j'ai blotti mon visage contre le duvet à la recherche d'une odeur me rappelant Thomas.

Le lendemain matin, la maison semblait encore endormie quand je me suis réveillée. Je venais de faire un curieux rêve dans lequel Thomas me souriait. Après des minutes plongée dans le silence, j'ai perçu un léger bruit en provenance de la cuisine. Sur la pointe des pieds, j'ai gagné la pièce du fond. Ralph, à table, tournait sans fin la cuillère dans sa tasse de café, l'air abattu. Il a levé ses yeux tristes dans ma direction :

— *Good morning, Jane*, a-t-il murmuré.

Puis, il s'est remis à tourner la cuillère dans son café. Il semblait perdu dans ses pensées. Son visage était encore plus long que la veille.

— *I had a bad dream about Thomas*, a-t-il dit en secouant la tête.

C'était rare que Ralph parlait, et d'aussi bonne heure en plus. Normalement, ça lui prenait des heures avant d'émettre un son le matin. Je lui ai souri timidement :

— Moi aussi, j'ai rêvé de Thomas. Mais un beau rêve. On va le retrouver.

Mes paroles, c'étaient comme du vent aux oreilles de Ralph. Il a poursuivi comme si de rien n'était :

— Je vais à camion, *in search for Thomas*. Veux-tu venir avec moi ?

C'était la première fois que le grand solitaire me proposait de l'accompagner dans ses recherches. J'ai eu envie d'y voir un signe. Des yeux, j'ai cherché le journal. J'aurais voulu lire mon horoscope, celui de Thomas et celui de Ralph.

— De quel signe es-tu ? Capricorne, je parie ?

Là encore, du vent pour Ralph. « Capricorne »… comment ça se disait en anglais ? Aussi bien laisser tomber. Si ça se trouvait, Ralph démontrait sûrement autant d'intérêt pour l'horoscope que mes parents intellos, qui se moquent toujours de moi quand ils me voient lire cette page dans les journaux.

À six heures du matin à peine, nous avons ouvert les portières de la camionnette. Le vieux voisin haïssable de John et de Ralph était déjà devant sa fenêtre à cette heure. Évidemment, tout le monde a le droit d'être matinal, mais j'étais certaine que cet homme-là était debout juste pour nous épier. Cette face de fouine braquée sur nous a laissé Ralph indifférent. Ça faisait longtemps qu'il n'adressait plus la parole à ce voisin. Il a démarré la camionnette et a fait marche arrière jusqu'à la rue. Puis, il s'est engagé sur Gulf Shore Boulevard. Après un certain temps, les traits de son visage se sont adoucis :

— Si Thomas n'a pas encore parti de la ville, mon *feeling*, c'est que il va traverser *the State* jusqu'à Fort Lauderdale. *Then, he will go to Miami, the big city.*

J'ai senti que l'intuition de Ralph était la bonne. Nous avons quitté Naples en direction d'Alligator Alley, l'autoroute qui reliait la côte Ouest et la côte Est. Ralph arborait un air plus confiant que les jours précédents, lequel air s'est changé en grimace quand les rayons du soleil ont touché son visage. Ça m'a fait rire. Le conducteur incommodé s'est dépêché d'attraper ses lunettes de soleil dans la boîte de l'appui-bras.

— *Hey, you! Don't laugh at me!* Pas rire de moi, a-t-il dit, sur un ton à la fois gêné et moqueur.

Nous avons roulé un bon moment en silence sur l'autoroute encore peu achalandée à cette heure matinale. La route bétonnée était bordée de chaque côté par un profond fossé et une haute clôture. De l'autre côté, c'était la nature sauvage à l'état pur. J'ai frissonné quand j'ai aperçu un alligator dans l'herbe. S'il fallait que Thomas marche le long de cette route pour vrai… Tiens, un peu comme cette silhouette qui est soudainement apparue au loin. Sans croco à ses côtés, heureusement, quelqu'un faisait du pouce, dos à la circulation. Un gars d'une quinzaine d'années, vêtu d'un polar noir à capuchon. Ralph a rajusté ses lunettes. Moi, j'ai plissé les yeux pour mieux voir.

— *Here he is! My boy!* a dit Ralph, ravi.

En entendant le bruit des roues sur le gravier, Thomas s'est tourné vers nous. Il avait l'air si fatigué ! Les traits tirés, il semblait amaigri. Ses vêtements étaient tellement sales et froissés, je ne suis pas sûre que quelqu'un l'aurait fait monter de sitôt. À notre vue, Thomas a souri. Son visage s'est éclairci et il a paru soulagé pendant un instant, mais ça n'a pas duré. Quand Ralph a baissé la vitre, il s'est vite renfrogné :

— *Go away!* Laissez-moi seul ! J'ai causé assez de problèmes comme ça, a-t-il lancé d'une voix enrouée.

— *Don't be stupid, kid! We will find a solution. Come on!* a rétorqué Ralph en se penchant vers moi pour ouvrir la portière du côté du passager.

Thomas a envoyé valser une roche avec son pied, mais il ne s'est pas fait prier plus longtemps. D'un bond, il est monté à mes côtés dans la camionnette. Tout de suite, sans réfléchir une seconde, je l'ai pris dans mes bras. Étonné, maladroitement, il m'a serrée très fort, lui aussi. C'étaient les meilleures retrouvailles de toute ma vie, et j'ai eu l'impression que c'était la même chose pour lui. Sans dire un mot, Ralph a repris la route. Thomas a glissé sa main large et rude dans la mienne. Aussitôt, la chaleur de sa paume s'est répandue en moi et je me suis sentie tellement bien. À mon oreille, Thomas a murmuré d'une voix éraillée par la fatigue :

— Content de te revoir, Jeanne.

Jolie musique. Je flottais. Sur mon nuage, j'ai vu la camionnette de Ralph emprunter une sortie indiquant REST AREA avant de s'immobiliser à côté de quelques semi-remorques dans le stationnement d'un restaurant libre-service.

— *You're certainly hungry*, a dit Ralph en coupant en même temps le moteur et mon envolée.

Plus terre à terre que moi, Thomas, lui, avait faim. Sa main a quitté la mienne. Il est descendu en vitesse du véhicule. Son pas rapide en direction du restaurant ne trompait personne. Ralph a réussi à agripper l'affamé par son capuchon tout juste avant qu'il se précipite à l'intérieur. Il fallait d'abord jeter un coup d'œil autour pour être certain que rien ne menaçait Thomas dans ce lieu : pas de figures familières, pas de policiers, pas non plus de représentants de la Protection de la jeunesse connus de nous.

Nous nous sommes attablés dans un coin, sur une nappe à carreaux. Ralph a regardé Thomas.

— *So, tell me…* Tout le semaine, où tu as été ?

Thomas a continué à manger sans répondre, plus intéressé par son assiette que par la question de Ralph. Entre deux bouchées, il a expliqué ce qui était clair pour tout le monde :

— Je meurs de faim.

Ça faisait à la fois pitié et plaisir à voir. Pauvre Thomas ! Ralph a attendu patiemment. Il l'a regardé manger jusqu'à ce qu'il ne reste plus rien dans l'assiette. Puis, il lui a offert son propre plateau. Thomas a finalement poussé la seconde assiette complètement vide devant lui, l'air de dire « OK, vous pouvez y aller avec vos questions ».

— *So ?*

— Tu te rappelles où tu m'emmenais toujours quand je suis arrivé chez vous, à douze ans ?

— *Treasure Park ? Are you serious ?*

Moi, évidemment, Treasure Park, ça ne me disait rien. Ce que j'ai compris, c'est que l'ancien parc avait été fermé et que Thomas y avait trouvé refuge pendant ses cinq jours de fugue. Il avait forcé l'entrée d'une cabane barricadée par des planches et s'y était installé. Comme deux grands amis qui s'amusent à se raconter leurs meilleurs souvenirs, Thomas et Ralph ont remonté le temps pour se retrouver à Treasure Park, comme à l'époque où le parc était toujours ouvert. Ils prenaient des photos ensemble. Ralph montrait à Thomas comment photographier les alligators, les flamants roses, les pélicans. Deux pies intarissables. C'était bon de les voir comme ça, ces deux renfrognés-là.

Puis, tout à coup, Ralph est sorti de son beau rêve et s'est rappelé que nous étions dans un lieu public, en compagnie d'un jeune recherché par la Protection de la jeunesse. Il a repris un air sérieux.

— *You can't come back home, for the moment.* C'est trop le risque à la maison. *And I don't want to see you on the road.*

Thomas a tenté de rétorquer. Ralph lui a fait signe qu'il ne voulait rien entendre.

— *The park will be safe for you.* Tu vas rester là jusqu'à on trouve une idée.

Ralph s'est tourné vers moi. Il a mis sa main sur la mienne.

— *Jane* va apporter du manger à toi au parc et *some...* vêtements ? *OK, Jane ?*

Bien sûr, j'ai accepté. Le plan ? Ma tante me déposerait pas trop loin du parc. Chaque jour, j'apporterais des vivres à Thomas et je lui tiendrais compagnie. Ralph s'est levé. Il a passé sa main sur les cheveux courts de Thomas.

— *Let's go guys.*

Nous avons repris la route et roulé vers Naples. Au détour d'un long virage, Ralph m'a montré du doigt le fameux Treasure Park sans rien dire, comme si quelqu'un pouvait nous entendre. Un demi-kilomètre plus loin, il a rangé la camionnette sur le bord de la route. Thomas a tendu la main à Ralph. Il m'a serrée dans ses bras, puis il est descendu. D'un pas à moitié décidé, il a commencé sa marche vers Treasure Park, incertain de la tournure que s'apprêtait à prendre son été.

8

Quand Jeanne a quitté la cabane, cette journée-là, une semaine après mon installation « officielle », j'ai craqué comme un lâche. Incapable de ravaler. Fini. La porte de la cabane s'est refermée et toute la colère du monde m'a sauté à la gorge. Une colère épaisse, refoulée depuis des années. Une colère tassée compacte, dure comme cent couches d'asphalte. Mais là, l'asphalte a commencé à fondre. Il a pris du volume. Il a pris toute la place, jusque dans ma gorge. J'ai attendu le plus longtemps possible même si c'était presque insupportable. Pas question que Jeanne entende ça ! Une minute. Deux minutes. Trois minutes… J'ai défoncé avec rage la porte d'un coup d'épaule. Je suis sorti en criant comme un perdu. Mes cordes vocales, tendues comme un arc, ont sonné fêlées. Mon estomac s'est soulevé comme si j'allais vomir. J'ai éclaté en sanglots.

C'était imbécile de faire du bruit comme ça. Des plans pour attirer l'attention ! Mais je m'en foutais. Qu'ils viennent, les morons des Child Protection Services ! Tant pis ! J'en avais assez ! De toute façon, c'était inévitable. Tôt ou tard, ils m'auraient retrouvé. Vivre chez John et Ralph, ça ne tenait plus la route. Deux gars ensemble et qui, en plus, ne sont pas de votre « vraie » famille, ça fait capoter les esprits bornés. Même si ces gars-là étaient les plus gentils du monde. Même s'ils avaient pris soin de moi comme jamais personne avant eux. Une douzaine de jours plus tôt, je n'avais même pas été surpris quand j'avais vu les CPS débarquer à la maison. Ça faisait trois ans que j'avais une épée de Damoclès au-dessus de la tête ! Un gars se prépare. Le jour de leur visite, j'ai décampé tellement vite ! C'était impossible qu'ils me rattrapent. Sauf que j'aurais dû rester sur place, leur dire : « OK, vous avez gagné. » C'était perdu d'avance. J'aurais dû me rendre au lieu de me cacher entre le cabanon et la clôture de Bob Watson, planté comme un piquet pendant des heures, sur une lisière de 30 cm de largeur, confortable comme c'est pas possible. J'aurais dû me rendre au lieu d'attendre la noirceur et d'errer un bout de temps avant de me souvenir de Treasure Park. J'aurais dû me pointer devant le gars des CPS qui courait dans tous les sens sans me voir. J'aurais dû lui dire : « C'est bon, le cave. Tu me tiens. »

Ça ne rimait à rien de défoncer la porte de la guérite de Treasure Park. Ça prouvait mon découragement, un point c'est tout. Assis sur une roche, je contemplais mon dégât, incapable de lever le petit doigt, trop vidé pour avoir encore de la colère. Je n'en pouvais plus d'être obligé de me cacher. Les morons, il fallait qu'ils débarquent au moment où je venais de rencontrer une fille extraordinaire. J'aurais voulu me promener avec Jeanne. Aller encore à la mer avec elle. Mon coin secret, « Beyond-the-Pier », me manquait. John et Ralph me manquaient. Marge aussi.

Quelques heures plus tôt, trois petits « toc » avaient été frappés sur cette porte, qui n'était pas encore sorti de ses gonds (pas plus que le gars, d'ailleurs). Comme chaque jour, j'attendais la visite de Jeanne avec impatience. À ce moment, j'ai ouvert la porte de la cabane. Jeanne m'a tendu un gros sac à lunch et ses beaux yeux verts ont pétillé :

— Un bon poulet rôti préparé par ma tante. Tu vas te régaler !

J'ai sauté sur le sac. Je ne mourais pas de faim tant que ça, mais un gars cache sa joie débordante comme il peut. Après le poulet, on est allés vers le coin où on pouvait voir des pélicans et des flamants si on avait de la chance. La section du parc où se trouvaient quelques alligators et quelques serpents, Jeanne en avait peur. Elle était plus tranquille quand on se promenait du côté des oiseaux. De toute façon, c'était mieux d'être prudent quand on se promenait dehors. On s'est assis sur un vieux banc déglingué pour parler, face à un grand bassin qui était rempli, dans le temps, de poissons multicolores. Maintenant, il n'y avait même plus d'eau et le ciment était tout fendillé. Jeanne a ouvert son sac à dos. Elle m'a tendu une feuille de papier.

— J'ai fait un dessin pour ta cabane, a dit Jeanne en rougissant.

Un dessin? J'avais déjà vu Jeanne avec une tablette à dessin sur les genoux, mais j'avoue qu'on n'avait jamais parlé de ça ensemble.

— Je l'ai fait de mémoire. J'espère que ça va te plaire.

Incroyable, comme dessin! D'abord, il y avait un groupe d'alligators, puis derrière, on reconnaissait Ralph en train de les photographier. À côté, Jeanne et moi, assis dans l'hydroglisseur. C'était super détaillé. Ç'a avait dû lui prendre des tonnes d'heures à faire. Le cadeau de Jeanne m'a mis tout à l'envers. Sans réfléchir, je l'ai embrassée. Jeanne a eu l'air aussi étonnée que moi. J'avais déjà embrassé des filles avant au parc de *mobile homes*, mais jamais de cette façon. Après, j'ai glissé ma main dans la sienne. Un flamant est passé devant nous, j'ai vu ça comme un signe de chance. Et les signes de chance, je n'en ai pas vu souvent dans ma vie. On est restés comme ça long-temps, sans bouger. Sauf mes doigts qui cares-saient l'intérieur de sa main tellement douce et petite. J'ai éclairci ma voix pour parler, mais je n'ai rien dit. Jeanne a ri nerveusement :

— Il te fait de l'effet, mon dessin...

J'ai rougi. Elle aussi. Ses yeux fixaient soit ses jeans troués soit ses baskets noirs. Je n'aurais pas su dire lequel des deux. Jeanne était timide, c'est sûr. Elle avait toujours une mèche de cheveux devant son visage. On aurait dit que ça la rassurait. Son grand corps mince, lui, était toujours recourbé vers l'avant, comme pour se protéger ou ne pas s'exposer. Pourtant, il y avait des signes qui étaient un peu en contradiction avec sa gêne : ces baskets noirs, ces jeans troués, cette belle couette que Jeanne teignait de différentes couleurs au gré de son humeur (depuis quelques jours, la mèche était bleue)... Pour moi, ça disait autre chose. C'était intrigant. Ça m'avait tout de suite attiré.

Je me sentais bien avec Jeanne. J'avais envie d'être avec elle, sauf qu'il y avait toujours un coin de mon cerveau qui se débattait avec la Child Protection. Un coin sombre qui ne voyait jamais la lumière. «Optimiste», c'était un mot qui ne faisait vraiment pas partie de mon vocabulaire. J'étais tout mêlé, complètement découragé… Comme si elle lisait dans mes pensées, Jeanne a voulu me rassurer :

— Tu vas voir, on va trouver une solution. On n'est pas seuls, non plus. John, Ralph et ma tante se creusent les méninges en grand, ces jours-ci.

— En cherchant la réponse dans un cocktail vert fluo ou bleu pété, je te parie !

— Pas vrai, je ne les ai jamais vus aussi sérieux. Depuis ton départ, il n'y a pas eu un seul *party* à la maison. Zéro musique, zéro danse, zéro amis. Même que c'est plutôt plate, si tu vois ce que je veux dire. Fais-leur confiance un peu.

Sans le savoir, Jeanne me demandait à peu près l'impossible. Faire confiance ! Quand on vient d'où je viens, c'est la chose la plus difficile au monde ! Je suis resté sans rien dire. Mais s'il y avait quelqu'un pour qui j'avais envie de tenter l'impossible, c'était bien Jeanne… J'ai posé les yeux sur son dessin encore une fois.

— Où t'as appris à dessiner comme ça ? C'est débile ! T'es une vraie artiste !

Jeanne a paru gênée.

— Tu trouves?

— Tâ...! Mets-en! J'ai jamais vu un dessin aussi précis. Un travail de pro, j'te dis! Pour une fille de quinze ans...

— J'étais en option arts. Avant.

— «Avant»?

Ma question l'a mise mal à l'aise. Jeanne a avalé de travers:

— À mon ancienne école. Maintenant j'étudie dans un collège privé pas le *fun* pour cinq cennes.

Jeanne a retiré sa main de la mienne. J'ai attendu la suite de sa réponse, mais au lieu de continuer à parler, elle est devenue nerveuse. Danger! Sujet tabou! Pas question que je la martyrise! Je sais ce que c'est, ne pas avoir envie de parler.

— Oublie ça, Jeanne. Je te laisse tranquille avec mes questions.

— On en reparlera. Mais plus tard, OK? Pas maintenant.

C'est là que j'ai commencé à être en colère, je crois. «On en reparlera une autre fois»... Et s'il n'y en avait plus, d'autres fois? Je ne resterais pas dans cette cabane toute ma vie. Les CPS finiraient par me mettre le grappin dessus. Il n'y en aurait plus, des rencontres, entre Jeanne et moi. La *steam* montait, mais j'ai caché mes sentiments. Pas nécessaire de lui faire de la peine à elle aussi. J'ai joué le gars au-dessus de tout ça :

— *No problem.* Veux-tu que je te décrive comment était Treasure Park quand je venais ici avec Ralph ?

Jeanne a souri. Elle était contente que je change de sujet. En plus, elle aimait que je lui parle du temps où j'étais plus jeune. C'étaient des histoires qui la faisaient toujours rire. Ça, c'était parce que je lui racontais les années où je vivais avec John et Ralph. Si je lui avais parlé d'avant, quand je vivais chez mon taré de père, elle aurait moins ri.

Le temps passait. Jeanne venait me visiter à Treasure Park depuis neuf jours déjà. Je le savais parce que je faisais une marque sur le bois de la cabane chaque matin avec mon canif. Comme un prisonnier dans sa prison qui compte les jours qui passent. Comme Robinson Crusoé sur son île déserte qui désespère de ne pas voir de bateau à l'horizon (heureusement que mon horizon à moi était égayé par la vue de Jeanne apparaissant chaque jour au loin et marchant vers moi!). À côté de ces marques sur le mur, il y en avait une autre rangée : c'était le nombre de fois où quelqu'un avait vu les morons de la Child Protection débarquer chez John et Ralph ou rôder autour de la maison. C'est Jeanne qui me rapportait le chiffre. J'en étais rendu à douze marques. Résultat : on était tous en mode panique.

Personne n'avait osé dire qu'il faudrait me rendre aux Child Protection services. Mais personne n'avait encore trouvé de solution. Seul, dans ma cabane, j'étais songeur. Si les choses tournaient mal et que les CPS me retrouvaient, Jeanne retournerait à Montréal sans qu'on se soit vraiment raconté nos problèmes. Ni elle ni moi. Ça, ça me fatiguait. Jeanne retournerait chez elle en ne comprenant rien à ce Thomas *the grave*, c'était ça ? Et, de Jeanne, moi, qu'est-ce que je savais ? À Montréal, avait-elle un surnom semblable à *the grave* ? « Jeanne la secrète » ? « Jeanne la discrète » ? « La fille-silence » ? Autre chose ? Ça ne m'aurait pas étonné. Depuis que j'avais défoncé la porte et crié comme un perdu, quelque chose s'était ouvert en moi. Bizarre à dire, mais je ressentais une urgence. Il fallait que je trouve le courage de m'ouvrir la trappe, et surtout le cœur. Peut-être que Jeanne en ferait autant.

Nos atomes continuant à être crochus, Jeanne est arrivée ce jour-là avec une drôle d'idée :

— Quand je vais rentrer à Montréal, à la fin de l'été, j'aimerais ça qu'on s'écrive. Pas des petits textos, de vraies longues lettres à l'ancienne. Tu vois ? Bien sûr, l'un n'empêche pas l'autre.

— Écrire, moi ?

Jeanne a souri :

— Je suis certaine que tu vas écrire beaucoup mieux que tu penses. Et ce n'est vraiment pas ça l'important.

Elle a continué :

— Selon mon père, l'écriture fonctionne bizarrement. Il m'en a parlé de long en large cette année, des cours complets, crois-moi ! Je te passe les détails. On commence, on ne sait pas trop ce qu'on va dire et comment. Puis, on est emporté et ça fait du bien. Un peu comme avec mes dessins. Ou comme quand tu fais de la photo, j'imagine.

Une autre des théories de Jeanne qui m'impressionnait. Cette fois, je ne le lui ai pas dit. Je ne voulais pas la gêner encore. Mais je pense que mes yeux parlaient tout seuls.

— Présenté comme ça... peut-être, oui.

Pour dire la vérité, je n'étais pas convaincu. Mais j'ai senti que Jeanne proposait cette idée pour que je me sente lié à elle, quoi qu'il arrive. Genre, si je me ramassais tout seul dans un centre d'accueil. Jeanne m'a poussé du coude :

— Alors? Promis-juré?

— Promis-juré, j'ai dit.

On était devant le bassin vide, sur le banc où je l'avais embrassée quand elle m'avait donné le dessin des Everglades. Tout à coup, les valves de sécurité ont lâché. Une boule s'est formée dans ma gorge :

— Tu veux que je te parle de mon père?

Jeanne est restée estomaquée quand j'ai dit ça. Moi-même, je n'en croyais pas mes oreilles. Moi, Thomas Robichaud, j'abordais de mon plein gré ce sujet? Jeanne n'a rien répondu. Peut-être qu'elle ne voulait pas arrêter mon élan. Elle s'est redressée et elle a doucement posé un pied par terre. Une flopée d'oiseaux s'est envolée.

— C'est sûr qu'il y a des grands bouts que j'ai oubliés. J'étais jeune. C'était avant que je me ramasse chez John et Ralph. Ça fait longtemps, j'avais douze ans quand je suis arrivé chez eux. Je n'ai jamais été adopté officiellement. Deux gais... *anyway*.

«*Anyway*», j'ai dit. Puis là, tout a déboulé. J'ai tout déballé. J'ai raconté à Jeanne ce que je n'avais jamais raconté à personne. Comme ça, d'un coup, je lui ai dit qui était mon père : un vrai taré toujours soûl. Je lui ai dit aussi que c'était apparemment pour ça que ma mère l'avait quitté, pour ce que j'en savais.

— On vivait à Montréal. Mon père a perdu un premier emploi, un deuxième, un troisième. Quand je rentrais de l'école, il était déjà archi-soûl. Il marmonnait des histoires qui ne tenaient pas debout. Pénible. Je m'arrangeais tout seul. Des pizzas pochettes cuites au micro-ondes, j'en ai mangé en masse, écrasé sur le lit dans ma chambre pour avoir la paix.

Après cet aveu, ma voix s'est étranglée. Jeanne a posé la main sur ma cuisse. J'ai pris une respiration. Une courte, j'avais le souffle coupé. Puis, j'ai continué ma satanée histoire.

— Les derniers temps, mon père était complètement détraqué : il se couchait quand c'était l'heure de se lever, il ronflait toute la journée. Il se levait en fin d'après-midi avec la gueule de bois. Là, il recommençait à boire comme un trou toute la soirée. D'abord à la maison, puis il sacrait son camp ailleurs dans un bar. Que je sois seul ? *Who cares ?*

Ça me faisait du bien de parler à Jeanne. En même temps, j'avais tellement honte de ce que je racontais. C'était minable, pathétique, cette enfance. Je mentirais si je disais que mon père ne m'avait pas promis quelques fois d'arrêter de boire. Mais le vers moi!). À côté de ces marques sur le mur, il y en avait une autre rangée : c'était le nombre de fois où quelqu'un avait vu les morons de la Child Protection débarquer chez John et Ralph ou rôder autour de la maison. C'est Jeanne qui me rapportait le chiffre. J'en étais rendu à douze marques. Résultat : on était tous en mode panique.

Personne n'avait osé dire qu'il faudrait me rendre aux Child Protection services. Mais personne n'avait encore trouvé de solution. Seul, dans ma cabane, j'étais songeur. Si les choses tournaient mal et que les CPS me retrouvaient, Jeanne retournerait à Montréal sans qu'on se soit vraiment raconté nos problèmes. Ni elle ni moi. Ça, ça me fatiguait. Jeanne retournerait chez elle en ne comprenant rien à ce Thomas *the grave*, c'était ça ? Et, de Jeanne, moi, qu'est-ce que je savais ? À Montréal, avait-elle un surnom semblable à *the grave* ? «Jeanne la secrète» ? «Jeanne la discrète» ? «La fille-silence» ? Autre chose ? Ça ne m'aurait pas étonné. Depuis que j'avais défoncé la porte et crié comme un perdu, quelque chose s'était ouvert en moi. Bizarre à dire, mais je ressentais une urgence. Il fallait que je trouve le courage de m'ouvrir la trappe, et surtout le cœur. Peut-être que Jeanne en ferait autant.

Nos atomes continuant à être crochus, Jeanne est arrivée ce jour-là avec une drôle d'idée :

— Quand je vais rentrer à Montréal, à la fin de l'été, j'aimerais ça qu'on s'écrive. Pas des petits textos, de vraies longues lettres à l'ancienne. Tu vois? Bien sûr, l'un n'empêche pas l'autre.

— Écrire, moi?

Jeanne a souri:

— Je suis certaine que tu vas écrire beaucoup mieux que tu penses. Et ce n'est vraiment pas ça l'important.

Elle a continué:

— Selon mon père, l'écriture fonctionne bizarrement. Il m'en a parlé de long en large cette année, des cours complets, crois-moi! Je te passe les détails. On commence, on ne sait pas trop ce qu'on va dire et comment. Puis, on est emporté et ça fait du bien. Un peu comme avec mes dessins. Ou comme quand tu fais de la photo, j'imagine.

Une autre des théories de Jeanne qui m'impressionnait. Cette fois, je ne le lui ai pas dit. Je ne voulais pas la gêner encore. Mais je pense que mes yeux parlaient tout seuls.

— Présenté comme ça... peut-être, oui.

Pour dire la vérité, je n'étais pas convaincu. Mais j'ai senti que Jeanne proposait cette idée pour que je me sente lié à elle, quoi qu'il arrive. Genre, si je menteur, c'était lui : il n'avait jamais tenu parole. Chaque fois, il s'était remis à boire après quelques heures d'abstinence. Gros record. Mon père était un vrai trou de cul. C'est vulgaire, je le sais. Mais c'était ça, mon père. Pas d'autre mot. J'ai repris mon histoire :

— Quand on est venus s'installer en Floride, au début, j'étais moins seul. On vivait dans un parc de *mobile homes*. Je m'étais fait des amis. Il y avait des Québécois et des Américains. Je jouais toujours dehors avec eux. Mon père buvait toujours autant, mais c'était moins dur pour moi...

J'ai raconté à Jeanne que l'époque du parc de *mobile homes* était la seule période de ma vie où j'avais eu des amis. Avant, à Montréal, j'étais trop jeune pour me promener tout seul et je ne pouvais pas compter sur mon père pour m'amener où que ce soit. Après, en Floride, quand je m'étais retrouvé chez John et Ralph, j'étais devenu *the grave* pour ne pas attirer l'attention. Il y avait eu ce laps de temps entre les deux où j'avais eu du *fun* avec du monde de mon âge. Ça n'avait pas duré.

— Avec les gars, on déconnait. On jouait dans des endroits pas vraiment recommandables. Une fois, avec la *gang*, on s'était aventurés un peu trop près des sables mouvants. Même que Pete Usban a mis le pied dans une flaque vraiment molle. Adam

Tomson a couru avertir les adultes. Je ne sais pas ce qu'il leur a dit au juste, mais cinq d'entre eux sont arrivés. Blancs comme des draps. Parmi eux : mon père. Il sentait l'alcool à plein nez, mais il a réussi à baragouiner que je lui avais fait la frousse de... la frousse de... Il n'arrivait pas à finir sa phrase. La frousse de quoi, on se demande, de sa vie si minable ?

J'ai fait un bruit bizarre. Pas clair de savoir si je ravalais ma colère ou si j'étouffais un sanglot. Jeanne s'est rapprochée de moi sur le banc. J'ai pris sa main.

— J'ai eu la chance que la route cabossée de mon père croise celle de John. S'il n'avait pas été là pour moi...

Inquiète, Jeanne m'a interrompu :

— Quoi ? Il a empêché ton père de te battre ?

— Non, non. Ça ne s'est pas passé comme ça.

La suite, je n'étais pas capable de la raconter. J'avais trop honte. Trop honte de la façon dont mon père s'était débarrassé de moi. Jeanne a compris que j'en avais assez dit comme ça, en tout cas en ce qui concernait le grand Dave Robichaud :

— Et ta mère ?

— Ma mère est partie quand j'avais cinq ans. Je ne me souviens pas d'elle. Sauf de son nom : Kathy Weiss. C'était une Américaine. Peut-être qu'elle a quitté mon père et s'est réinstallée aux États-Unis. J'en sais rien. J'ai même pas une photo d'elle. Néant total.

Jeanne a mis son index sur mes lèvres. Elle a posé sa tête contre la mienne. J'ai pleuré comme un bébé.

dans sa courte barbe rousse. Il a continué sur un ton optimiste relativement convaincant :

— Ça va s'arranger. Tu connais Marjolaine au grand cœur. Je suis sûr qu'elle va tout mettre en œuvre pour aider ses amis.

Malgré la friture sur la ligne, j'ai senti une pointe d'angoisse passer dans la voix de mon père, peut-être parce qu'il savait justement ma tante capable de tout. Mon père est un homme intelligent. Il a senti que je sentais… Alors, il a repris sur une note encore plus positive… et plus positif que mon père, c'est dur à trouver.

— Tu sais quoi ? Ce Thomas m'a l'air bien sympathique : il va s'en sortir. L'été prochain, peut-être qu'on pourrait vous inscrire à un séjour linguistique ici, en Finlande. C'est chouette, ce pays, vous adoreriez !

Mon père, dans ce qu'il avait de plus fou ! « Mon beau pelleteux de nuages », disait souvent ma mère quand il partait dans ses lubies. Le pire, c'est qu'ils fonctionnaient souvent, ses plans fous ! Parfois, c'était agaçant, ses propositions complètement saugrenues. Mais d'autres fois, j'avoue, c'était rigolo. Ça m'a fait du bien, cette suggestion. J'avais hâte de la communiquer à Thomas, même si je n'étais pas bête : il y en avait des obstacles à surmonter avant qu'un tel voyage se fasse ! Mais cette idée d'aller dans un pays où l'été il faisait clair même la nuit me plaisait. C'était rassurant, cette lumière dans la noirceur. J'en parlerais à Thomas, ça l'inspirerait peut-être. En tout cas, ça lui changerait les idées.

— Qu'en penses-tu ?

— Sacré papa ! Sacré papa ! (Toujours cet écho pénible !)

— Je te rappelle la semaine prochaine, ma belle… Oui, j'y tiens ! a ajouté mon père avant que j'aie le temps d'entendre ma voix de souris répéter « Bye-bye ! », « Bye-bye ! ».

Grrrr ! J'ai raccroché. Je me suis approchée de ma tante qui était en train de cuisiner, le nez au-dessus d'une grosse marmite.

— Ça sent bon !

— *The best spaghetti meatballs of the United States !* Tu vas te régaler, a-t-elle dit fièrement.

J'ai fait « miam ! » en frottant mon ventre. Puis, j'ai fait grimper mes doigts le long de son bras jusqu'à son épaule, comme une tarentule. Pareil comme elle me faisait quand j'étais petite. Elle a ri nerveusement, comme moi dans ces cas-là.

— C'est le plat favori de Thomas, on va lui en préparer une grosse portion. Tu le lui apporteras tout à l'heure. Aujourd'hui, c'est John qui te laissera près du parc, peut-être un peu moins près que d'habitude. J'ai rendez-vous… en ville, a-t-elle ajouté, mystérieuse.

Mine de rien, ma tante continuait à s'affairer dans sa cuisine. Elle a pris un air plus sérieux, que je ne lui voyais pas souvent. Sur un ton supposément innocent, elle m'a demandé :

— Je t'ai entendu parler d'idées noires avec ton père… Ça va, hein ?

Ma parole, ils s'étaient tous donné le mot ! Oui, ça allait ! Enfin… aller, c'était un peu fort étant donné les circonstances, mais… Pourquoi s'inquiétaient-ils tous de moi ? Ce n'était pas moi qui étais dans le pétrin, c'était Thomas ! C'est lui qui vivait des choses horribles. Moi, ce que je voulais plus que tout au monde, c'était l'aider ! L'aimer ! Mon regard a suffi à rassurer ma tante. Elle me connaissait, pas besoin de lui répondre. Elle a continué :

— Pour Thomas, j'ai peut-être une idée. Je ne peux pas t'en parler tout de suite. Il faut que vous gardiez courage tous les deux. OK ? Tu en parleras à Thomas tout à l'heure. *This nice kid, I hope the best for him… and for you ! Understand ?*

Une demi-heure plus tard, John est arrivé au condo. Ma tante et lui ont chuchoté pendant que je prenais mon sac à dos dans la chambre. Ils manigançaient quelque chose, mais on ne semblait pas me juger digne d'être dans le secret des dieux. L'air du condo était chargé d'électricité, mais John a fait comme si de rien n'était. Il m'a souri :

— Alors, tu viens, la petite ?

J'ai pris le sac thermos que ma tante avait posé sur le coin de la table.

— Il paraît que tu apportes à Thomas des *spaghetti meatballs* ? Il va t'adorer !

Je n'ai rien répliqué. Que Thomas m'adore n'était certainement pas pour me déplaire. John a retiré sa casquette et l'a abaissée vers le sol.

— Après vous, mademoiselle.

« La petite » ou « mademoiselle » ? Un autre qui souffrait d'ambivalence chronique : « quinze ans égale enfant ou adulte » ? J'ai fait comme si de rien n'était. On voyait bien que John était nerveux sans bon sens. Déjà, en temps ordinaire, il était branché sur le 220, plein d'énergie comme le lapin de la pile Eveready ou Energizer. Alors, il faut s'imaginer de quoi il avait l'air quand il était stressé! Cela le mettait dans tous ses états de tenir pour la première fois le rôle du chauffeur qui me conduirait à Thomas. De toute évidence, il avait peur d'être suivi par la police ou les gens de la Protection de la jeunesse. Conséquence? Des tonnes de tics nerveux que je ne lui avais jamais vus. Tout le long du trajet, il n'arrêtait pas de regarder dans le rétroviseur pour s'assurer que personne ne nous suivait. J'avais l'impression d'être dans un film de suspense. Sentant peut-être le besoin de justifier son comportement qui le faisait ressembler à un vrai parano, il a expliqué :

— Ça commence à être compliqué en diable…

Oui? Ensuite? Plus d'informations, s'il vous plaît… Par souci d'éclaircissements, John a ajouté :

— *I've done my best for Thomas. I love this kid, you know…* Quand je l'ai pris chez moi, je… Quoi faire maintenant?

Pas très cohérent, tout ça. J'avais la nette impression que John se parlait plus à lui-même qu'il n'attendait de réponses de ma part. Qu'est-ce que j'aurais bien pu lui dire de toute façon? Plus la camionnette mangeait les kilomètres, plus John était plongé dans ses pensées. Ça devait devenir positif parce que ses tics nerveux ont commencé à diminuer (exemple : son sourcil droit ne sautait plus). Il a jeté un œil au rétroviseur presque comme quelqu'un de normal, puis il a souri :

— Si j'avais su que ce petit-cul de Montréal vivrait un jour avec moi ! Tu aurais dû le voir à l'âge de six ans ! Quand il venait souper, c'est à peine s'il dépassait le haut de la table. Bon, j'exagère…

La remarque de John m'a complètement sonnée :

— À… Montréal ? Je pensais que tu avais connu Thomas en Floride, non ?

Au tour de John de paraître étonné :

— Ah ! bon ? C'est une longue histoire. Thomas t'en a un peu parlé, oui ?

J'ai dit à John que Thomas m'avait parlé de son père, sans préciser que les confidences m'étaient parvenues même pas vingt-quatre heures avant. Genre : « Évidemment ! », vraiment trop exagéré pour quiconque connaissait la réserve de Thomas. Heureusement, cela a suffi pour encourager John à continuer son récit :

— À l'époque, je vivais encore à Montréal dans un immeuble à appartements, le même que Thomas et son père. Le père de Thomas avait été engagé pour assurer l'entretien de quatre immeubles appartenant au même propriétaire. Ils avaient emménagé pendant l'année.

John était maintenant presque calme. Il n'agitait plus la tête en tous sens comme au début.

— Je voyais ce petit bout de chou s'ennuyer dans le couloir à s'inventer des jeux qui n'avaient jamais l'air amusants. J'ai connu Dave, son père, en ramenant le petit chez lui quelques fois. Déjà, à l'époque, Dave buvait beaucoup. Ça me fendait le cœur de voir Thomas tout seul les trois quarts du temps. Je me suis mis à aller prendre une bière chez eux de temps en temps ou j'invitais Thomas chez moi quand je voyais que Dave n'était vraiment pas en état de s'occuper de lui.

J'adorais entendre parler de l'enfance de Thomas, même si c'était triste, ce passé. Je brûlais d'en savoir plus :

— Comment était-il, Thomas ?

— Gentil et doux comme un agneau. Mais réservé en diable ! Quand j'arrivais à le faire rire, j'étais content de moi ! Ce rire, on ne peut pas dire que je l'ai entendu souvent, ces derniers temps, je veux dire avant sa fugue. Quelques fois, avec toi… Il t'aime bien, c'est clair.

John m'a souri. Il a alors jeté un autre coup d'œil dans le rétroviseur. Là, il a écarquillé les yeux et a paru vraiment inquiet. Son front s'est plissé. Outre le fait que John n'était pas très beau comme ça, ça m'a donné la frousse. Je me suis retournée, m'attendant au pire. John m'a rassurée :

— C'est rien, fausse alerte. J'ai cru voir l'auto de ce maudit Sam Lewis. Pour en revenir à Thomas et à son père…

Je ne sais pas si c'est parce qu'il s'ennuyait de Thomas et qu'il se sentait près de lui en roulant vers Treasure Park, mais John était lancé en grand ! Même pas besoin de l'interroger.

— Si je n'avais pas donné un coup de main au père de Thomas pour l'entretien des immeubles, il n'aurait pas gardé son travail longtemps. La preuve, l'hiver où j'étais en Floride, à l'époque où j'ai rencontré Ralph…

Un vrai moulin à paroles… Une vraie pie ! Comme quand il jasait avec ma tante. Là, John m'a raconté sa rencontre avec Ralph après deux hivers passés sur des chantiers de construction en Floride parce qu'il détestait le temps froid du Québec. Une fin de semaine, à Key West, dans un bar : coup de foudre ! Il était donc rentré au Québec avec l'idée d'en repartir bientôt, à tout jamais, pour s'installer avec Ralph dans sa maison de Naples. John était trop *cute* : il rayonnait en me racontant le début de ses amours avec son beau photographe.

— Quand je suis rentré de Floride, à la fin du mois de mars, les valises de Dave et de Thomas étaient empilées dans le corridor avec trois ou quatre boîtes. Dave avait été congédié et, la journée même de mon retour, lui et son fils devaient quitter l'appartement. Comme ils ne savaient pas où aller, je les ai invités chez moi. J'ai plié bagage trois semaines après, mais eux sont restés dans mon appart jusqu'en juin. Je ne voulais pas que Thomas rate la fin de son année scolaire. Pendant ce temps, de mon côté, j'ai cherché du travail à Dave en Floride sur un des chantiers. Il avait accepté que je fasse ces démarches pour lui. Pauvre gars ! Il n'avait rien d'autre à l'horizon, de toute façon.

J'ai osé une question qui me chicotait depuis un bon bout de temps :

— Comment ça s'est passé en Floride ? Je veux dire : comment Thomas s'est retrouvé chez toi ?

John ne s'attendait pas à cette question, je pense. En tout cas, il a fait semblant de s'intéresser vraiment attentivement au tableau de bord avant de me demander sur un ton faussement détaché :

— Il ne t'en a pas parlé ?

J'ai compris que John ne m'en apprendrait pas plus sur cette question. On approchait du lieu où mon chauffeur soudain muet devait me laisser, près de Treasure Park. Je n'ai pas insisté. J'ai souhaité que Thomas soit assez en verve ce jour-là pour me raconter la suite. Chose certaine, il faudrait attendre que le principal intéressé me fasse lui-même la confidence…

10

Quelque chose se tramait. C'était dans l'air. On en avait parlé ensemble, Jeanne et moi, deux jours plus tôt, la fois où elle m'avait apporté les *spaghetti meatballs* hallucinants de Marge. J'ai donc été à moitié surpris, ce jour-là, quand j'ai vu la silhouette de John s'avancer sur le chemin de Treasure Park au lieu de celle de Jeanne. Je n'étais pas étonné tant que ça, mais j'étais heureux de le revoir, ça oui ! John marchait d'un pas rapide, sa casquette des Giants de San Francisco enfoncée sur la tête. Je lui ai fait signe de la main. Quand il m'a aperçu près de la cabane, il a fini son trajet au pas de course.

— Salut, *kid* ! a-t-il lancé.

John m'a pris dans ses bras et m'a serré fort. *God*, que j'étais content ! C'était facile de deviner qu'il était content pas à peu près, lui aussi, à voir la force des claques qu'il me donnait dans le dos et sa façon de me serrer en m'étouffant presque. Il m'a laissé reprendre mon souffle et m'a regardé pour s'assurer que je n'étais pas fatigué ou malade, et que j'avais tous mes morceaux. Ensuite, il a souri, tout croche. Nerveux, il enfilait les questions, sans attendre les réponses :

— *How are you ? You look fine, yes ? Are you OK ?*

Avant de laisser trop voir à quel point il s'était inquiété pour moi, John a pris un ton moins grave :

— *Let me see your fabulous home !*

On est entrés dans la cabane et j'ai montré à John comment j'étais installé. Je ne sais pas si c'est le fait de se retrouver dans une guérite deux fois plus petite que ma chambre et pratiquement vide, mais la face de John est tombée. Debout, accoté contre le mur creusé de dix-huit marques, il a chialé contre les CPS. Il s'est laissé glisser contre le mur et s'est ramassé sur le plancher poussiéreux. Je me suis assis en face de lui. John m'a regardé longtemps. Il a soupiré en lâchant un « *Well...* », découragé. C'est à ce moment qu'il a déballé le plan qu'il avait concocté avec Ralph et Marge.

— *Look... Listen...*

Je traduis le reste :

— Tu sais, les gais, en Floride, ce n'est pas évident. Encore moins pour l'adoption légale. Ralph et moi, on a essayé. On ne peut rien faire et ce ne sont pas les demeurés de la Child Protection qui vont changer quelque chose à ça.

J'ai vu les poings de John se serrer. Il a repris :

— Pas question que tu te ramasses dans un satané centre d'accueil. Je sais que tu ne supportes pas l'idée. Moi non plus, je ne veux rien savoir de ça. Écoute...

Là-dessus, John a arrêté de parler. Il a avalé de travers, comme s'il s'apprêtait à dire quelque chose de pas évident :

— Marge a proposé de t'emmener au Québec, en auto, avec Jeanne.

La phrase m'a frappé comme un dix tonnes en pleine face. Je ne l'avais pas vue venir, celle-là. Quoi répondre à ça ? Sans m'en rendre compte, j'ai posé les yeux sur le dessin de Jeanne que j'avais épinglé au mur. John a continué :

— En auto, le trajet prend à peu près deux jours et demi. Vous traversez la Floride, la Caroline du Sud et du Nord, la Virginie... vous montez jusqu'au Vermont.

J'écoutais John, sans rien dire. Il se perdait dans des détails géographiques, il énumérait les noms des États, les numéros de route... Un vrai GPS. Toutes ces informations me rentraient par une oreille et me sortaient par l'autre. J'étais sonné. John, lui, était un vrai paquet de nerfs. À force de plier et de déplier ses jambes sur le plancher, il avait les jeans pleins de poussière, une vraie *joke*! Il s'en est rendu compte et s'est secoué avant de continuer :

— Une fois à Alburg, près de la frontière, tu grimpes dans le coffre arrière. Vous passez les douanes à Noyan, un petit poste frontalier tranquille. Marge connaît bien le coin.

Tout avait été prévu. C'était concret pas à peu près, son plan, même si l'idée de me cacher dans le coffre me semblait naïve. John a repris :

— Aux yeux de la loi, ton statut est ambigu. Tu vis aux États-Unis, ta mère est américaine, mais tu es né au Canada. En principe, tu ne devrais pas avoir trop de difficultés à traverser la frontière. Un avis a été lancé contre toi, mais pas un avis criminel, donc il y a peu de risques que l'information se retrouve aux douanes canadiennes, mais on ne sait jamais, c'est compliqué... *Fuck!* a conclu John qui s'impatientait de spéculer comme ça.

Là, John a pris une pause. Il m'a demandé si j'avais quelque chose à boire, de l'eau, du jus, «*something, for Christ's sake!*». J'ai souri parce que ça m'a rappelé Mister Jones. Les cacatoès et les boxers me manquaient en maudit, eux aussi! J'ai pointé du doigt le sac de provisions que John m'avait lui-même apporté. John s'est ravisé et a décidé de continuer sans rien boire :

— Il faut attendre deux ou trois jours, le temps que Marge reçoive une nouvelle autorisation écrite de sa sœur lui permettant de voyager avec Jeanne. Pour que Jeanne passe la frontière sans attirer l'attention des douaniers longtemps, tu comprends. On va se croiser les doigts pour qu'ils ne fouillent pas le coffre. J'ai confiance, *kid*, ça va aller.

Là, quelque chose a cassé dans la voix de John. Un son fêlé qu'il a fait semblant de ne pas remarquer :

— Marge doit se préparer aussi. Elle a toutes sortes de choses à régler avant de partir. Son travail, les comptes, les factures, les abonnements...

John parlait, et parlait encore. Comme pour mettre des couches de mots par-dessus sa peine, la cacher, la faire taire. Il m'expliquait tout en détail. C'était étourdissant. Je ne l'avais jamais vu aussi bavard et sérieux. Contrairement à lui, je n'avais pas dit un mot depuis le début. Je ne savais pas comment réagir à ce qu'il me disait. J'étais sous le choc. Avant son arrivée, j'étais prêt à bondir, à réagir, à agir. Ç'avait assez duré, ma cachette. Depuis que j'avais parlé à Jeanne de mon maudit père, je me sentais soulagé. Même si j'étais toujours caché dans ma cabane à Treasure Park et que j'avais toujours peur de me faire attraper par la Child Protection, je me sentais plus solide. Je me sentais prêt à affronter ce qui s'en venait. Mais le plan de John, ça me paralysait. Ce qui me sautait en pleine face, c'était les conséquences de ce plan : je quitterais John et Ralph. C'est tout ce que je voyais. J'ai réussi à articuler deux questions :

— Ralph et toi, je ne vous verrai plus ? Je ne vivrai plus avec vous ?

John a calé sa casquette plus bas sur ses yeux. Sa voix, je ne l'entendais presque plus :

— On va aller te rejoindre, *kid*. Je ne sais pas combien de temps ça va prendre, mais on va s'organiser. Pour l'adoption, ça va être plus simple au Québec. L'important, pour le moment, c'est que tu ne te retrouves pas dans un centre d'accueil.

Il a souri faiblement pour me rassurer. Gauche pas à peu près, il m'a donné une bine sur l'épaule qui n'aurait pas fait de mal à une puce :

— *Right ? Trust me. I love you, Thomas.*

J'ai murmuré, avec une voix pas plus grosse que celle d'une puce, tiens : « *Right. Me too.* » C'était à mon tour d'avoir la voix cassée. J'ai voulu le remercier pour tout ce qu'il avait fait pour moi, mais zéro son est sorti de ma bouche.

11

Ce matin-là, je me suis réveillée avec encore en tête l'image du douanier bête comme ses pieds qui fonçait droit sur le coffre de la voiture d'où provenaient des cris. Aidé par ses deux bergers allemands albinos, il y trouverait Thomas : ce serait la fin. Quel mauvais rêve ! Nous n'étions même pas partis et, déjà, j'angoissais à l'idée de traverser la frontière. J'avais peur que ma voix trahisse ma nervosité si le douanier me posait des questions : « Non, je… je n'ai rien à dééééclarer. » J'avais peur de tout faire rater. Pourtant, les préparatifs étaient bien avancés, même si certains points restaient en suspens au sujet de l'installation problématique de Ralph au Québec à cause de son travail. La veille, ma tante avait reçu l'autorisation écrite de ma mère. Il lui restait quelques petites choses à régler. Nous partirions probablement dans deux jours.

Quand j'ai vu l'air de Thomas en arrivant à la cabane, ce jour-là, j'ai compris que ce n'était pas nécessaire que je lui raconte mon rêve. Assis sur sa roche, il semblait assez soucieux comme ça. C'est à peine s'il a levé les yeux vers moi quand je l'ai salué. La dernière cuticule du dernier ongle qu'il lui restait à ronger semblait l'intéresser plus que ma présence.

— C'est bon ? Tu te régales ? ai-je demandé pour essayer de le dérider un peu.

Thomas s'est contenté de me regarder. On était loin de l'accueil pétillant qu'il me réservait d'habitude. Je lui ai tendu le sac thermos préparé par ma tante :

— Tiens, ça devrait être meilleur.

— Plus tard… pas faim.

Pauvre Thomas ! Moins en forme que ça, ça se pouvait ? J'ai proposé qu'on aille s'asseoir sur notre banc. Complètement absorbé par ses pensées, il a accepté sans trop s'en rendre compte et s'est dirigé vers le bassin comme un somnambule. Je ne l'avais jamais vu aussi absent. *Hello ! Anybody home ?* J'ai essayé de le faire sourire en lui rappelant cette proposition d'aller en Finlande qui l'avait amusé quelques jours plus tôt :

— Tu imagines, l'été prochain, à la même date, on prendra peut-être un bain de minuit en plein soleil ! Bon, au pire, si ça ne marche pas, on ira à la piscine Laurier…

Ma remarque a fait patate. Thomas est resté silencieux. Je ne sais pas à quoi il pensait, mais certainement pas à nous deux en voyage en Finlande ni même à nous deux à Montréal. Il a mis sa main dans la mienne. Après deux ou trois minutes, il a dit d'un ton sérieux :

— Tu as un bon père, c'est chouette.

Ce n'était pas exactement le genre de phrase auquel je m'attendais ! À part être l'initiateur de notre futur voyage en Scandinavie, qu'est-ce que mon père venait faire ici ? C'était quoi, cette remarque ? La main de Thomas s'est mise à trembler. Il a soupiré :

— Le mien, c'était autre chose, je te dis !

Ensuite, long silence. Deux flamants sont passés devant nous. Thomas ne les a même pas remarqués. Il a inspiré profondément, comme lorsqu'on s'apprête à plonger sous l'eau. Il a repris :

— Je ne t'ai pas raconté comment j'ai abouti chez John et Ralph…

À ces mots-là non plus, je ne m'attendais pas vraiment ! Thomas, lui, les ruminait depuis longtemps, je crois. Mais on sentait qu'il lui était difficile de les dire. Il a fermé les yeux. Il a dégluti. Son visage était plus grave que jamais, plus beau que jamais.

— Ça s'est passé un jour très ordinaire où mon père avait trop bu. D'après moi, John était venu faire son tour au parc de *mobile homes* pour voir comment j'allais. L'air de rien, il essayait de veiller sur moi… *Gosh !*

À l'idée de continuer son histoire, Thomas a fait une nouvelle grimace. Il a chassé du pied une roche imaginaire. J'ai posé ma main sur la sienne.

— Ce soir-là, mon père n'avait plus rien à boire. John, lui, avait dans son camion une caisse de bières. Il venait d'annoncer à mon père qu'il rentrait chez lui. Mon père a paniqué : « *The fucking store is close. Give me your pack of beers. In exchange, my son. You can't have a child. Go on, take mine !* »

J'aurais mâché une gomme, je l'aurais avalée. J'aurais tenu un verre entre mes mains, je l'aurais échappé. J'aurais été debout, je me serais effondrée. Je suis restée bouche bée, avant d'articuler

péniblement un genre de « …QQWWAAHH ? ».
Thomas a continué :

— T'as bien entendu, Jeanne. Quand mon
père a proposé ça à John, j'étais assis à côté de lui.
Il m'a poussé vers John, sans rien me dire. C'est
comme ça que mon père m'a largué, en échange
d'une caisse de bières. Pathétique, a terminé
Thomas d'une voix étranglée.

Il a cessé de parler. Il est resté silencieux très
longtemps. Ça devait être terrible de penser qu'on
ne comptait pas plus aux yeux de son père qu'une
caisse de bières. Ce n'était pas croyable, cette
histoire ! Honteux, piteux ou gêné, Thomas a
ajouté :

— Tu dois me trouver minable, non ?

Immédiatement, j'ai répliqué :

— T'es fou ou quoi ?

Thomas a fait un drôle de sourire qui ressemblait plus à un rictus de gars découragé :

— « Minable », « fou »… ça va bien !

Vite, j'ai voulu rassurer Thomas :

— Thomas, je ne te trouve pas minable une
miette ! Ton père, oui ! Pas toi ! Jamais dans
cent ans !

Difficile de savoir si mon ton l'a convaincu. Thomas semblait encore une fois perdu dans ses pensées. Finalement, il en a émergé :

— Après cet échange, je n'ai plus jamais revu mon père. Il est disparu dans la nature et on n'a plus eu de ses nouvelles. Se faire larguer par son père, ce n'est pas possible d'accepter ça ! Ça m'a donné un choc ! John et Ralph ont été vraiment bons pour moi, après, pour m'aider à me remettre de ça… Et là, maintenant, il faut que je les perde.

J'ai mieux compris ce qui tracassait Thomas à ce moment-là. C'était déchirant, ce départ pour le Québec. J'ai essayé d'encourager Thomas du mieux que j'ai pu :

— C'est probablement temporaire, tu le sais. Ça va être plus facile pour John et Ralph au Québec…

D'un signe de la main, Thomas m'a fait comprendre que ce n'était pas nécessaire de continuer. Il a murmuré d'une voix posée : « Je ne suis plus un bébé, ça va. » Sans révolte. Comme il aurait dit : « Tiens, le ciel se couvre, je crois qu'il va pleuvoir. » Bizarre. Je cherchais des mots pour le réconforter ; étrangement, j'ai senti qu'il n'en avait peut-être plus autant besoin. Il avait l'air plus calme qu'au début de la journée.

Ensuite, le ciel s'est couvert pour vrai, avec de gros nuages menaçants. Une averse comme la Floride en connaît souvent en fin d'après-midi s'annonçait. Nous avons couru pour nous réfugier dans la cabane, mais on s'est fait rattraper. On a terminé notre course en riant sous une pluie forte sans bon sens. À l'intérieur, sur le seuil de la porte, deux flaques d'eau se sont formées à nos pieds. Thomas a retiré son chandail. Puis, il s'est dirigé vers son sac à dos, torse nu. Il a revêtu un nouveau t-shirt.

— Tu devrais faire pareil… Tiens, m'a-t-il dit en me tendant un autre chandail sec.

De ses beaux yeux brun noisette, si brillants, il m'a regardée sans détourner la tête pendant que j'enfilais son t-shirt.

— On reste dans la cabane, OK ? a-t-il demandé en dégageant de mon visage une mèche de cheveux.

Un peu gênés, nous nous sommes allongés sur le tapis recouvert d'un sac de couchage que je lui avais apporté lors de son emménagement forcé. Ce n'était pas exactement le grand confort, mais ça n'avait pas d'importance à ce moment. Thomas s'est rapproché, tout près. Il m'a serrée dans ses bras. De la tête aux pieds, nos corps se touchaient. Toutes les parcelles de mon corps étaient en contact avec celui de Thomas. J'aurais voulu que cet instant dure toujours. Au moment où la pluie a finalement cessé de tambouriner sur le toit de la cabane, j'ai senti son sexe contre ma cuisse, ça m'a chamboulée. Avec douceur, il a mis sa main sous mon chandail, j'ai frémi. Nous nous sommes embrassés longuement. Ses lèvres goûtaient bon. Ses lèvres goûtaient toujours bon. J'ai enlevé le t-shirt que Thomas m'avait prêté même pas deux minutes plus tôt. Thomas a ôté le sien. Sa peau était chaude, humide. Nous étions complètement collés l'un contre l'autre. J'adorais le *feeling*. Puis, en bougeant pendant notre étreinte, nos corps ont fait « smack » ou quelque chose du genre, un drôle de bruit de succion. Nous avons ri tous les deux. Hélas ! ça nous a fait retrouver nos esprits.

12

Il fallait leur voir l'air quand je leur ai annoncé mon intention :

— Je ne pars pas.

Complètement éberluée, toute la *gang*. Jeanne, Marjolaine, John et Ralph : tous les quatre la bouche ouverte, les yeux ronds, tellement surpris. Ça les a pris au dépourvu, cette annonce, car j'avais d'abord suivi le plan prévu. Jeanne était venue me trouver à la cabane, puis on avait marché ensemble jusqu'à l'endroit où Marjolaine nous attendait en auto. Ensuite, on était passés à son condo. Ça ne devait pas être long : le temps que je fasse mes adieux à John et Ralph. Sauf qu'en arrivant au condo, j'ai annoncé à tout le monde que j'avais décidé de ne pas partir. Marjolaine a été surprise, plus que Jeanne.

Mais ceux qui étaient le plus éberlués, c'étaient John et Ralph.

— Qu'est-ce qui se passe, Thomas? Qu'est-ce que tu racontes? m'a demandé Marge.

Ça faisait trois jours que je tournais ça dans ma tête. À l'envers, à l'endroit. C'est sûr que l'idée de vivre près de Jeanne me séduisait. C'est sûr aussi que d'habiter temporairement avec Marge aurait été facile pour moi. Mais le reste, ça n'allait pas. J'avais l'impression de me sauver comme un lâche. Je ne voulais pas ça. Jeanne m'a souri sans rien dire. Elle me comprenait, pas besoin de rien expliquer. J'ai quand même voulu clarifier les choses pour tout le monde.

— *I'm not « the grave » anymore.* J'ai été assez silencieux comme ça. Je veux qu'on sache comment vous vous êtes bien occupés de moi. *Straight or not, it doesn't matter.*

Pas question que je m'en aille sans dire un mot. Sans dire comment ils étaient des pères fabuleux. Je ne quitterais pas la Floride. Je ne me sauverais pas en couillon. Tant pis s'il fallait que je me retrouve dans un centre d'accueil pour ça. *Too bad.* John et Ralph sont restés muets. Marge a fait un pas vers moi. Elle a posé sa main sur mon épaule, puis m'a regardé avec un air désolé:

— Thomas, si tu restes ici, la Child Protection va te placer dans un centre d'accueil. John et Ralph ne peuvent pas avoir ta garde légale. En Floride, les gais n'ont presque pas de droits. Ni celui de se marier, ni celui d'avoir des enfants. Je me suis informée de tous bords tous côtés avant de te proposer de revenir au Québec.

— J'irai dans un de ces foutus centres. John et Ralph m'ont sauvé. Il n'y a pas de meilleurs pères qu'eux. Je le dirai partout. On ne peut rien faire pour changer la loi?

Marge a souri. Elle me trouvait sûrement naïf. Ou brave. Peut-être que je lui rappelais elle-même. On ne disait pas : « *It's the marginal way of Marge!* » pour rien. La façon de faire *marg*inale. Elle ne faisait rien comme les autres, Marge. Surtout, elle faisait tout comme elle le voulait, à sa façon. Malheureusement, ça me laissait croire qu'un combat légal, si elle y renonçait, elle, c'est que ce n'était pas envisageable... Tant pis, j'étais décidé. Je ne partirais pas. J'ai regardé John et Ralph :

— *It's enough.* Je rentre à la maison. Même si c'est pour pas longtemps.

Je respirais mieux que jamais. J'ai souri à Jeanne. J'ai redressé les épaules. J'étais prêt à affronter les obstacles qui se dresseraient devant moi. John et

Ralph continuaient d'être sonnés. On aurait dit qu'ils ne savaient pas trop comment gérer ma décision. Ralph a mis sa main sur ma nuque :

— *Are you sure, kid?*

J'ai fait signe que oui. Peu à peu, l'idée a commencé à faire son chemin. De minute en minute, je voyais se dessiner un semblant de sourire sur les visages inquiets de John et de Ralph. Un sourire tendu, un peu moins tendu, presque détendu. J'avais fait le bon choix. Pendant un certain temps, tout le monde est resté silencieux. Comme si on pensait tous aux conséquences de ma décision. Tout le monde jonglait avec l'idée et essayait de s'imaginer ce que serait ma vie à partir de maintenant. Quelque chose s'était passé qui faisait qu'on ne trouvait plus ça aussi catastrophique, ma situation. Tout le monde était soulagé que je rentre à la maison après tout ce temps caché dans ma cabane. Tout le monde envisageait aussi l'avenir avec plus de courage, on aurait dit.

Faire la fête, c'était exagéré, mais il y a eu soudain de la joie dans l'air. Marge s'est dirigée vers la cuisine et elle en est revenue avec une bouteille de vin mousseux. Le naturel revenait au galop !

— *Let's celebrate!* a lancé Marge en faisant sauter le bouchon au plafond.

Mon regard a croisé celui de Jeanne. Nous avons pouffé de rire. Quoi faire d'autre ? Ils buvaient quand ils étaient contents, ceux-là. Rien à voir avec mon biberon de père alcoolique minable, de toute façon. John s'est levé. Il a tendu une flûte de champagne à Ralph et l'a embrassé. Puis, il s'est précipité sur la chaîne stéréo :

— *Let's go*, les jeunes ! Aujourd'hui, tout le monde danse ! Toi aussi, Ralph Bonty !

Impossible de dire non à ce John débordant d'enthousiasme. Bon. Tant qu'à avoir l'air fou devant Jeanne, j'ai décidé de faire le fou pas à peu près ! Ralph aussi n'était pas mal, mais je ne suis pas certain qu'il le faisait exprès. John est allé prendre la main de Jeanne qui essayait de se faire toute petite sur le canapé. Elle riait de son air gêné que j'aime tant. Elle s'est mise à faire la folle, elle aussi. Marge aussi. Tout le monde riait. La pression tombait. Quand la chanson préférée de John a commencé, ç'a été l'hystérie pour celui qui était sérieux comme un pape à la maison depuis des semaines. L'occasion était parfaite pour lâcher la tension stockée.

— Tout le monde tout nu ! *Just kidding !* a lancé John en enlevant quand même son t-shirt et son pantalon.

Devant nous, en boxer, il a hurlé d'une voix ridicule :

— *Be careful, Mrs Liamson! I'm coming!*

Sur ce, le spécialiste des bombes de piscine est sorti du condo en courant. Mrs Liamson a levé les yeux de son livre juste à temps pour voir retomber la trombe d'eau créée par John. Elle lui a adressé un sourire timide et elle a décampé à toute vitesse dans son appartement. On ne l'a plus revue de tout l'après-midi. On a rejoint le clown dehors. Ralph et Marge ont posé leur flûte sur une table près de la piscine. Jeanne et moi, on les a laissés ensemble et on s'est étendus sur une serviette à l'autre bout de la cour.

Ça n'a pas été long avant qu'on ne soit plus dans le même état d'esprit que les joyeux lurons qui étaient en train de faire la passe à la bouteille. Après l'euphorie, on ressentait de la tristesse. D'ici quelques jours, Jeanne rentrerait à Montréal. On ne serait plus ensemble. Un gros nuage gris s'est installé de notre côté de la piscine. L'autre coin, toujours ensoleillé, était occupé par le trio des pompettes qui riaient de plus en plus à mesure que le contenu de la bouteille descendait. J'ai pris la main de Jeanne. Je ne voulais pas que Jeanne pense qu'elle ne comptait pas pour moi. C'était tout le contraire! Mais je ne voulais pas fuir. C'était important pour moi. Jeanne a parlé la première :

— T'en fais pas, je comprends. Tu fais le bon choix, c'est très courageux.

Comme d'habitude, Jeanne me donnait tout le mérite. J'ai voulu rectifier ça :

— Si tu n'avais pas été là, je serais resté *the grave*. Sérieux, merci.

— Tant mieux si je t'ai aidé. Super !

Jeanne avait prononcé ça d'un ton timide, mais ma remarque lui avait fait plaisir. Elle semblait émue. Chère Jeanne, tellement secrète ! Pas facile de la faire parler, elle non plus ! On ne peut pas dire qu'elle s'était épanchée des tonnes sur ce qu'elle vivait, cet été ! Tout à coup, j'ai eu peur d'avoir été un gros égoïste avec mes problèmes. Ma fugue et mes malheurs avaient pris tellement de place ! Peut-être que j'aurais dû insister pour que Jeanne me parle plus d'elle. Oui ? Non ?

Encore une fois, ç'a été comme si Jeanne savait lire dans mes pensées :

— Toi aussi, Thomas, tu m'as fait du bien. Hum... Tu sais, à Montréal, l'année difficile dont je t'ai parlé...

Je n'en revenais pas ! On connectait tellement, nous deux ! J'ai caressé la paume de sa main, sans rien dire. Je ne voulais pas l'effaroucher. Jeanne a continué :

— Moi-même, j'étais assez *the grave*, merci...

Étonné, j'ai froncé les sourcils. Jeanne a essayé de m'expliquer :

— Je ne sais pas trop par quoi commencer… Je me sens ridicule aussi… Ça n'a tellement rien à voir avec ce que tu as vécu…

Tout de suite, j'ai protesté :

— Jeanne, vraiment, ça n'a pas rapport ce que tu dis là. Tu penses que ça se mesure, le malheur ?

Ma remarque a semblé l'encourager :

— Pour faire une histoire courte, disons qu'après ma deuxième année de secondaire, j'ai dû changer d'école et que ça s'est mal passé. J'ai perdu mes meilleures amies et je suis devenue triste comme la pluie. J'ai été incapable de m'intégrer à ma nouvelle école : mes notes ont dégringolé, mon estime de moi aussi. Pour finir le plat, tout le monde s'est mis à me niaiser : je suis devenue une rejet complètement isolée…

— Ho ! Du calme ! C'est vraiment une histoire courte, ton affaire ! Ralentis un peu ! Qu'est-ce que tu me racontes là ?

Jeanne a rougi. Elle a relevé sa mèche de cheveux et m'a regardé. Ça n'a pas duré longtemps, son regard profond. Jeanne a baissé les yeux :

— Si tu savais... Partout, tout le temps, on m'appelait la suicidée.

13

C'est à peine si Thomas s'en est rendu compte, quand John est sorti de la piscine et qu'il est venu s'ébrouer sur nous comme un chien fou. En voyant l'air grave de mon interlocuteur, John a fait le pitou piteux et il est reparti faire ses farces auprès de Ralph et de ma tante. Thomas était complètement bouleversé par ce que je venais de lui dire.

— *Shit!* Jeanne... Je suis désolé.

— Attends, non ! Ce n'est pas ce que tu penses ! Enfin... si. Un peu... sauf que.

Le pauvre Thomas ! Il m'a regardée l'air encore plus perdu. Mais sans doute pour ne pas m'effaroucher, il s'est ressaisi :

— Ce n'est pas très clair, Jeanne, a-t-il dit d'un ton calme qui m'a bien plu.

Lentement. Longuement. J'ai débroussaillé mon histoire pour Thomas. Ce n'était pas facile. Il fallait revenir sur tout plein de choses qui m'étaient arrivées durant la dernière année. Ce n'était pas facile parce que c'était long et compliqué. Mais, étrangement, ce n'était plus si pénible d'aborder ce sujet. Mon été en Floride avait réussi à ensoleiller tout ça en quelque sorte. Je ne trouvais plus mon histoire aussi noire. Un noir jaune soleil, nouvelle couleur. C'était comme en Scandinavie : du soleil même la nuit.

J'ai donc raconté à Thomas comment j'avais deux fabuleuses amies en première et deuxième secondaire : Sarah et Marianne, avec qui je pouvais placoter des heures et des heures. Sarah, c'était la dégourdie, l'obsédée par les gars qui s'embarquait toujours dans des aventures abracadabrantes, celle qui se mettait constamment dans le pétrin en collectionnant les cœurs brisés et qui était sans cesse poursuivie par des hordes de filles jalouses. Marianne, elle, c'était l'intello qui savait toujours tout et qui avait un sens de l'humour tel qu'on se roulait par terre chaque fois qu'elle ouvrait la bouche pour lancer une remarque assassine ou partager avec nous sa vision des choses « flyée » détraquée. On s'amusait tellement ensemble ! Un vrai trio du tonnerre !

Après cette entrée en matière, il était plus facile pour Thomas de comprendre pourquoi j'avais été inconsolable la journée où mes parents m'avaient annoncé qu'une place venait de se libérer au collège privé où on m'avait inscrite trois ans plus tôt. Tout avait commencé un jour en apparence ordinaire quand j'étais revenue de l'école. Une enveloppe avec en-tête officiel et pompeux trônait fièrement, bien en vue, sur la table console de l'entrée. C'était là que mes parents déposaient le rare courrier qui m'était destiné et qui, généralement, me faisait plaisir. Généralement. À la vue de l'enveloppe contenant la lettre d'admission, j'avais lâché un cri de mort. Un collège privé, sans Marianne et sans Sarah, je ne voulais rien savoir de ça ! Pas possible ! Pour mon plus grand malheur, j'ai pourtant fait la gaffe d'être raisonnable. Je me suis ralliée à l'opinion de mes parents : selon eux, le collège était un meilleur choix pour mon éducation. Comme j'ai regretté cette décision dans les mois qui ont suivi ! Après l'arrivée de cette lettre dans notre maison, mon été a été horrible. Je voyais toujours Marianne et Sarah à l'occasion mais, déjà, ce n'était plus comme avant. À quoi bon parler avec elles de tous ceux que je ne verrais plus à la rentrée ? Pourquoi me pâmer avec elles sur le sublime Thierry Levalleck ou déblatérer contre l'infâme Judith Provost ? À chaque conversation, c'était comme tourner le fer dans la plaie.

L'école a commencé. Ça n'a pas pris deux semaines avant que je sente que je ne faisais plus partie du même monde que mes amies. La complicité entre Marianne et Sarah existait toujours mais, moi, j'en étais exclue. À mon nouveau collège, je n'arrivais pas à me faire de nouveaux amis. Les bandes et les *gangs* étaient déjà formées. Deux ou trois cliques se disputaient le territoire et voulaient imposer leur supériorité, du style : « C'est nous les plus riches, c'est nous les plus *cools*, c'est nous les plus brillants. » La *gang* d'Outremont me tapait sur les nerfs ; celle du Plateau m'énervait ; les autres, ce n'était pas mieux. Restait les *nerds* et les rejets : non, merci ! La joie, quoi ! Sans compter que j'étais stressée sans bon sens dans ce nouveau cadre sévère et prétentieux. Avant chaque examen, j'avais un de ces maux de tête ! Ça, c'était quand je ne saignais pas carrément du nez. Une fois, c'est même arrivé sur ma copie. Trois belles taches rouges sur mon équation algébrique. Les x et les y, tout barbouillés ! La honte !

— Ouf ! Je parle, je parle. Ça ne tourne pas trop en jérémiades, mes affaires ? ai-je tout à coup demandé à Thomas qui n'avait pas encore dit un mot.

— Pauvre toi ! a dit Thomas. Aussi malheureuse à ton école que moi au Pretoria High School, on dirait ! Continue, voyons !

La remarque de Thomas m'a aidée à aborder le pire. Le pire, ce n'était pas à la fin de l'automne, quand j'étais complètement déprimée, que je ne riais plus jamais et que j'avais zéro estime de moi. Ça, ce n'était que l'ombre du malheur. C'est au début de janvier, au retour des vacances, que le malheur en personne est venu frapper à ma porte, enfin, disons plutôt à la porte de la classe (le malheur est rusé). Ce jour-là, mon prof de français (la seule matière où j'excellais encore un peu) nous a demandé d'écrire une nouvelle. Très inspirée, dans la semaine qui a suivi, j'ai pondu un super texte, qui m'a fait un bien fou. Belle gaffe ! Si j'avais su ! Le titre ? BEAUCOUP DE PILULES. Ça racontait l'histoire d'une fille archi-malheureuse qui avait perdu ses meilleures amies en changeant d'école. Autofiction, ça s'appelle. Sauf que ç'a allait plus loin. Dans la nouvelle, la fille qui n'avait pas réussi à s'enfuir à New York, comme elle le souhaitait, décidait d'en finir. La nouvelle décrivait minutieusement la tentative de suicide de la fille nommée Audrey-Jeanne. Assez *dark*, le texte ! Très *dark*, même ! Ça devait être un peu trop crédible, en tout cas.

Résultat : pas un « A », pas un « B », rien de semblable. La prof a couru prévenir la Direction, la Direction a couru prévenir mes parents… Bref, tout le monde s'est affolé et s'est mis à courir en tous sens. Effet domino, effet papillon, appelle ça comme tu veux, ce n'était pas beau à voir ! J'ai même dû rencontrer la psy de l'école à plusieurs reprises. On voulait s'assurer que tout cela n'était *que* fiction. « On se comprend, Jeanne, n'est-ce pas ? », me répétait tout le monde. Le jour même où on a averti mes parents, ils ont passé au crible l'historique de mon Internet. Par souci du détail, j'avais visité beaucoup de sites consacrés au suicide et aux manières possibles d'en finir. Trucs et cocktails de pilules, en veux-tu en v'là. Ça non plus, ça n'a pas eu l'air de plaire… Inutile de dire qu'après ça, j'étais sous haute surveillance.

— Ayoye ! a lancé Thomas, soufflé.

J'ai continué. Après ça, facile de conclure que je n'avais pas vraiment utilisé la bonne méthode pour m'intégrer à mon école. Si Thomas était passé maître dans l'art de ne pas attirer l'attention pendant trois ans, moi, je n'avais pas eu son talent. Même pas pendant six mois. Les élèves ont commencé à me niaiser. Mélanie Durell a fait courir le bruit que j'avais essayé de me tuer pour vrai. Tout le monde s'est mis à me regarder comme une bibitte rare. Partout, sur mon passage, ça murmurait plus ou moins fort, mais toujours trop fort à mon goût : « C'est elle qui a tenté de se suicider. » Insupportable. Plus l'année avançait, plus la façon dont j'avais apparemment tenté de me suicider devenait saugrenue. Tout le monde en rajoutait, c'était totalement absurde. Les pilules, les veines, la corde, le saut dans le vide… L'enfer ! Pour me calmer, toute l'année, j'ai fait des dessins, à profusion. Je me suis isolée dans mon coin et je n'ai plus parlé à personne.

Thomas m'écoutait depuis longtemps, la bouche grande ouverte. Je l'ai poussé du coude :

— Si ça continue, tu vas avaler une mouche !

— Je comprends pourquoi tu m'as dit que t'étais assez *the grave* toi-même… a bafouillé Thomas, sérieux.

Bon. On était loin de la Floride et de sa vitamine D, de ses jeunes insouciants qui rient sur la plage. On était loin aussi du *fun party* qui avait toujours lieu à l'autre bout de la piscine. Pour détendre l'atmosphère, j'ai essayé de faire rire Thomas en lui racontant comment mes parents s'étaient comportés dans les mois qui avaient suivi ma gaffe, une fois le choc et les interrogatoires passés. Par exemple, en valorisant tout ce que je faisais. C'en était parfois ridicule. Un peu plus, ils me félicitaient pour des gestes aussi difficiles que mettre du lait dans mes céréales ! Ils étaient devenus attentionnés sans bon sens. J'ai raconté à Thomas tous les bagels fromage à la crème de la rue Fairmount, tous les mini-cupcakes de la rue Mont-Royal, toutes les pizzas croûte mince de la rue Saint-Denis, tous les brownies de la rue Laurier que m'avait valus la frousse que j'avais faite à mes parents.

— Tu comprends maintenant pourquoi ils ne voulaient pas que je reste seule à Montréal et pourquoi ils m'ont envoyée en Floride.

Rien à faire. Thomas restait sérieux. Il a commencé tranquillement :

— *Shit !* Ç'a dû être terrible pour toi !… Je peux te poser une question ? Ne te fâche pas, OK ?… Cette fiction, c'était quoi, pour vrai ? Un appel à l'aide ? Un genre de suicide inconscient ? Je ne sais pas trop comment dire…

La question de Thomas m'a mise mal à l'aise :

— Moi non plus, je ne sais pas trop comment dire… Peut-être, oui.

Après ça, Thomas et moi on est restés silencieux de longues minutes. Comment répondre à cette question ? Quand j'avais écrit mon texte, j'étais contente de mon histoire. Je ne l'avais pas écrite avec l'intention de faire passer un message. Mais qui sait ? Finalement, j'ai souri à Thomas, les yeux un peu mouillés :

— C'est fini, maintenant. Ça va mieux. On tourne la page, c'est le cas de le dire. Veux-tu ?

Thomas s'est déridé tranquillement. Il a bougé son cou, à gauche, à droite, pour se détendre. Il s'est étiré les bras. Puis, il s'est levé et m'a tendu la main :

— T'as raison. C'est clair. Viens-tu te baigner avec moi dans *mon* piscine ? m'a-t-il demandé, un sourire en coin.

Et là, dans l'eau, devant tout le monde, Thomas m'a enlacée. John s'est mis à chahuter, visiblement heureux du spectacle qu'il avait sous les yeux.

Une semaine plus tard, à une demi-heure de mon départ pour le Québec, mon été fabuleux tirait à sa fin. J'aurais voulu qu'il dure toujours. J'avais peut-être la force d'aller affronter mes fantômes à Montréal, mais celle de quitter Thomas me manquait.

La route Naples-Montréal, je m'apprêtais à la faire seule avec ma tante Marjolaine. Nous étions le 27 août, je m'en rappelle comme si c'était hier. Malgré la décision de Thomas de rester en Floride, ma tante avait décidé de partir quand même pour revoir sa famille et fumer éventuellement le calumet de la paix. Elle avait suggéré qu'on parte en auto étant donné mon amour absolu de l'avion et pour le plaisir de faire cette route de 2700 kilomètres ensemble. C'est vrai qu'elle avait aussi ajouté en me faisant un clin d'œil : « Si tu veux, on parlera de mon beau Wayne-le-tagueur-squatteur et de deux ou trois petites choses au sujet des escapades à New York… » Si son intention était de me faire la morale ou quelques mises en garde (même de façon *cool*), ce n'était pas nécessaire. Mon été en Floride, avec Thomas, avait tout changé. J'étais plus sûre de moi. J'étais prête maintenant à accepter le regard des autres sur moi. J'étais prête, moi aussi, à affronter ce qui m'attendait. Surtout, j'étais décidée à briser mon mauvais karma.

Pour le moment, dans la chambre de Thomas, au 22 Pine Road, Naples, j'aurais voulu retenir les minutes qui filaient à toute vitesse. Thomas avait obtenu la permission de la Protection de la jeunesse de rester avec John et Ralph le temps que Bridget Easton prépare son dossier. Après ça, il serait confié à une famille d'accueil ouverte d'esprit qui lui permettrait de les voir comme il lui plairait. Contribution EXCEPTIONNELLE au dossier Thomas Robichaud par Bridget Easton, qui s'était finalement rendue aux arguments de ma tante ou qui avait abdiqué devant son indestructible ténacité. Cette journée-là, il faisait une chaleur aussi intense que la journée où Thomas et moi avions presque fait l'amour dans la cabane de Treasure Park. J'ai rappelé à Thomas le « smack » de nos corps en sueur qui nous avait fait tant rire. Je m'attendais à voir naître un sourire sur ses belles lèvres mais, au contraire, ça l'a rendu triste. Il m'a prise dans ses bras.

— Jeanne, si tu savais… a-t-il commencé.

Peut-être parce qu'il ne trouvait pas les mots, il a laissé tomber. Un ange est passé. Thomas s'est dirigé vers la photographie du coquillage fossile que j'aimais tant, celui qui ressemblait à une oreille géante. Il a ôté les punaises qui retenaient la photo au mur.

— Tiens, c'est pour toi.

À son tour d'essayer de chasser mon chagrin et de m'égayer un peu :

— J'avais pensé à une photo d'alligator, mais si tu tiens aux beaux rêves à Montréal…

J'ai embrassé Thomas en faisant le souhait de rêver de lui à l'avenir et pour toutes les nuits à venir, avec ou sans ses crocodiles. Un genre de « pour le meilleur et pour le pire ». Puis, brusquement, trois petits coups frappés sur la porte de la chambre m'ont ramenée à la réalité. La voix de ma tante a franchi la mince cloison de bois :

— Tu viens, ma belle Jeanne ?

Mon cœur s'est arrêté. Celui de Thomas aussi, je crois bien. Le silence le plus total s'est répandu dans la maison du *party*, d'un côté de la porte comme de l'autre. Thomas, sans rien dire, m'a tendu la main. Nous avons rejoint les trois autres figures d'enterrement qui attendaient de l'autre côté de la porte : celle de ma tante, celle de John, celle de Ralph. Même les chiens qui nous accompagnaient jusqu'à la voiture paraissaient piteux. Je sais que les yeux des chiens ont toujours l'air triste, mais ceux de Humphrey avaient l'air encore plus triste que d'habitude quand John a fermé le coffre de la voiture. Quant à Captain Jack et Mister Jones, de leur perchoir dans la véranda, ils jacassaient, intarissables. J'ai voulu croire qu'ils me souhaitaient « bon voyage » et qu'ils me criaient surtout « à bientôt ». Je ne fabulais qu'à moitié puisque Ralph avait appris aux deux cacatoès une nouvelle phrase que j'ai finalement comprise :

« *Love you, Jeanne ! Love you !* » John m'a entourée de ses bras vigoureux :

— Prends soin de toi, Jeanne.

Ralph m'a fait l'accolade, lui aussi :

— *See you soon, racoon* (une sorte de variante de « *See you later, alligator* »).

J'ai salué tout le monde du regard. J'ai même fait un disgracieux *fuck you* à Mr Raven, alias *big stool*, qui nous épiait de sa fenêtre. Ç'a fait rire Thomas. Je suis montée dans la voiture. Thomas a fermé la portière. J'ai descendu la vitre. Il a redressé les épaules pour avoir l'air solide. Qu'il était beau, mon Thomas ! Ma tante a lancé à son tour un « *See you soon, my lovely friends !* ». Puis, elle a mis le moteur en marche. Au bout de l'allée, Thomas a commencé à jogger dans la rue, toujours à mes côtés, me tenant la main sur le cadre de la portière. Haletant, il a réussi à dire :

— Appelle-moi quand tu arriveras à Montréal. On se voit le plus tôt possible, peut-être à Noël ou avant.

Puis, il a détaché ses doigts des miens :

— Promis-juré (ce sont les derniers mots qu'il a prononcés avant d'abandonner sa course).

J'espérais que Thomas dise vrai. Ça me brisait le cœur de le quitter. Arriverait-on à se revoir ? J'ai retenu maladroitement un sanglot. J'ai sorti la tête de la voiture. Une dernière fois, j'ai regardé au loin mon beau Thomas, dépité, les bras le long du corps, devant sa maison qui ne serait bientôt plus sa maison.

14

Naples, 5 octobre

Chère Jeanne,

Je te préviens : cette lettre risque
d'être la plus longue que tu auras
jamais lue de ta vie (moi, c'est la plus
longue que j'aie jamais écrite!). J'aurais
pu t'envoyer un courriel mais, de toute
façon, je tenais à te faire parvenir
le colis que tu as présentement entre
les mains, j'imagine. Ne l'ouvre pas
tout de suite! C'est ma surprise!
Laisse-moi d'abord te raconter un peu

comment ça roule ici, à Naples,
depuis ton départ.

Première des choses: tu me manques!
Je sais, je n'ai pas répondu à tes
textos et tes courriels, mais ce n'est
pas ce que tu penses! Depuis un mois
et demi, il s'en est brassé des affaires!
Départ de chez John et Ralph,
emménagement dans ma famille
d'accueil, retour à l'école... Déjà, c'était
tout un contrat! Mais il y a plus
encore! C'est un peu de ta faute si
tu n'as pas eu de nouvelles de moi,
Jeanne Marineau. D'ici, je t'entends
crier: "QQWWAAHH?" Attends, je
t'explique. Te rappelles-tu quand tu
m'as proposé un jour qu'on s'écrive,
à la cabane? Tu m'as dit que l'écriture
fonctionnait bizarrement et nous
amenait parfois dans de drôles
d'endroits. Eh bien! Disons que, de
mon côté, ça m'a tellement mené
dans un endroit inattendu que ça
m'a pris des semaines à en revenir!

170

Décidément, l'écriture, ça en fait, des ravages! Tu en sais toi-même quelque chose!

Je reprends du début: une semaine après ton départ, je décide de t'écrire une belle longue lettre à l'ancienne, comme tu le souhaitais... Je commence. Je te parle de ma famille d'accueil, de combien je me sens triste d'avoir quitté John et Ralph, bref je parle de ce que ça me fait de perdre deux pères, d'avoir une "mère" maintenant dans ma vie... Là, bang! Pendant que j'écrivais, un méchant souvenir enterré depuis dix ans, complètement oublié, est sorti de nulle part! Cette lettre que j'avais commencée, tu ne la recevras jamais. Sur le coup, je l'ai taponnée en petite boule, je l'ai écrabouillée avec mes Doc Martens, et comme si ce n'était pas assez, j'y ai mis le feu. Même que Diane, la femme chez qui j'habite, est entrée dans ma chambre sans frapper,

l'air paniqué, croyant qu'un incendie
venait de se déclarer dans la maison.
Peut-être pas dans la maison mais,
en moi, c'est clair! Des semaines de
bouillonnement ont suivi. Ça faisait
peur à voir, mon état! Jeremy Taylor
l'a d'ailleurs appris à ses dépens
quand il m'a traité de fif à l'école.
Depuis que ça se savait que j'étais resté
longtemps avec des gais, je me faisais
achaler avec ça... Bref, je lui ai pété
la gueule. Ce n'était pas très subtil ni
très intelligent, je sais, mais ç'a
au moins remis les pendules à l'heure.
Mais je m'égare...

Jeanne, ce n'est pas vrai que
je ne sais rien de ma mère qui nous
a "quittés" quand j'avais cinq ans.
Ce n'est pas vrai que mon père est
un taré fini. Taré quand même,
mais disons qu'il y a des choses qui
s'expliquent, des comportements qui se
comprennent différemment quand
on connait son histoire. Ce n'est pas

facile pour moi de dire ça, et ce n'est pas demain la veille que je vais pouvoir lui pardonner ce qu'il m'a fait vivre. Je ne t'ai pas menti. Ce que j'ai découvert au moment de t'écrire m'a sauté dessus sans crier gare. Je ne m'en souvenais plus du tout! C'est remonté comme ça, d'un coup! Il doit bien y avoir un nom pour décrire ça en psychologie. Ta mère le sait sûrement. Peu importe.

Tout d'un coup, j'ai eu un flash très clair. On est à Montréal, mon père et moi. On est assis sur le canapé et on écoute la télévision ensemble. Ça fait déjà quelques mois que mon père est à la maison. Il a perdu son travail. La compagnie pour laquelle il travaillait comme technicien en électronique a fermé ses portes. Je m'en rappelle parce que je ne comprenais pas trop ce que ça voulait dire, "fermer ses portes". Mon père répétait souvent ça et moi je ne comprenais pas pourquoi il ne les rouvrait pas, tout simplement, les portes. Comme ça, il aurait encore du travail. Bref, chaque jour, il fait des démarches pour se trouver un emploi, mais il revient toujours le caquet bas. Il commence à être de plus en plus démoralisé. Ma mère l'encourage (oui, ma mère : je la revois très bien, maintenant, les cheveux blonds, les yeux bleus, les traits délicats, la voix très douce...), mais ça marche de moins en moins. Il me semble qu'il s'enfonce un peu plus chaque jour dans le canapé du salon devant la télé quand il rentre avec toujours rien. Plus il s'enfonce, plus la pile de CV qu'il n'a plus le courage d'aller présenter s'épaissit.

Un jour, donc, on est seuls, lui et moi, devant la télé. Ma mère n'est pas à la maison. Ça fait plusieurs fois que le téléphone sonne, mais mon père n'a pas le courage de répondre. Finalement, il se décide. Il dit :

"Salut Véronique." Véronique, c'est la femme avec qui ma mère travaille. Il écoute, bouche bée. Puis, il s'embrouille, s'emporte au téléphone : "ACV, AVC, quelle différence ça fait !" Puis, il raccroche et s'effondre par terre. En boule, par terre, il se met à pleurer. Je vais le rejoindre, je lui tapote le dos "C'est à cause de ton CV ?", je lui demande. Il pleure encore plus fort. "C'est ta mère", dit-il. Rien d'autre. Il répète : "C'est ta mère."

Ma mère est morte. Accident vasculaire cérébral survenu au travail. Elle s'est effondrée tout d'un coup. Comme mon père en apprenant la nouvelle. Ma mère est morte. Mon père ne s'en est jamais remis. Déjà qu'il était en dépression parce qu'il avait perdu son travail. Il s'est mis à boire. Au début, j'ai essayé d'aider mon père en le tirant de son canapé... Il pesait des tonnes. Je me rappelle bien maintenant comment j'ai commencé à me raconter des histoires. Je me suis imaginé que ma mère était partie. Qu'elle était partie parce que mon père buvait... J'ai fini par croire mes histoires et j'ai complètement refoulé ce qui s'était vraiment passé. Les quelques fois où John a essayé d'aborder le sujet, j'ai sauté sur mon vélo sur-le-champ. Avec le temps, il n'a plus osé me parler de ça, je pense. Toujours cette histoire de silence et de carapace...

Aujourd'hui, quand j'y repense, je crois que mon père ne m'a pas vraiment échangé contre une caisse de bières. C'était une excuse pour me confier à John en sachant qu'il s'occuperait bien de moi, contrairement à lui, qui n'en était tout simplement plus capable. John, lui, a dû se dire, ce soir-là, qu'il valait mieux m'emmener chez lui étant donné l'état d'ivresse avancée de mon père. Le lendemain, quand il a voulu me ramener, il a dû attraper son air! Il a beaucoup de mérite de s'être occupé d'un jeune sans rien avoir demandé de tel, et avec tellement d'amour. Pour en revenir à mon père Dave Robichaud, ça n'excuse rien. C'est poche, ce qu'il a fait. Mais ça change un peu la perspective. Peut-être qu'un jour j'essayerai de savoir s'il est toujours en vie... Peut-être, je ne sais pas. Si ça se trouve, il est retourné au Québec, tiens!

Tu comprends qu'après cette découverte, j'ai été sonné. Les premiers jours à l'école et dans ma famille d'accueil, j'étais zombie pas à peu près! Mais ça commence à se tasser. Ça m'a soulagé de me rappeler tout ça. Je me sens mieux, plus tranquille, libéré d'un poids qui me pesait sans que je sache au juste d'où ça venait. Dans ma famille d'accueil, ça se passe assez bien. Diane et Kevin sont gentils. Ils ont deux enfants: Lisa et Brandon, qui ont quatre et sept ans et qui sont cools.

Je m'occupe d'eux parfois. Je suis comme un grand frère, qui aurait cru ça? Mais surtout, ce qui est bien avec Diane et Kevin, c'est qu'ils me laissent voir John et Ralph autant que je veux, c'est-à-dire très souvent.

Après mon départ, John s'est payé une bonne déprime. Pendant trois semaines, pas une seule sortie, pas un seul party. Mais je pense que ça l'a rassuré de constater que je pouvais aller le voir aussi souvent que je le voulais et que j'y tenais aussi. Sa bonne humeur toujours dans le plafond commence à reprendre du terrain, même s'il s'ennuie en masse de Marge. Depuis quelques semaines, il aide beaucoup Dorothy, qui n'en menait pas large cet été, comme tu le sais. Ralph est attentif aussi. Il a annulé des photo-reportages pour passer plus de temps avec John et ne pas le laisser seul toute la fin de semaine. Le bonhomme Raven, lui, est toujours aussi chiant, mais John lui en fait voir de toutes les couleurs depuis qu'il n'y a plus de danger que cela me fasse du tort. Bonjour, la provocation! Avec un peu de chance, on va finir par voir une pancarte Real Estate plantée dans sa maudite pelouse.

Bon. J'imagine que tu commences à avoir hâte d'ouvrir ton colis? Je t'embrasse tendrement. J'espère de tout cœur qu'on va se voir comme prévu pendant les vacances de Noël.

Ton Thomas not the grave anymore,

XXX

15

Cher Thomas,

Je ne sais pas par quoi commencer ! Il y a
tant à dire de ta lettre et de ton cadeau !
D'abord, pour un gars qui disait ne pas
savoir écrire, au mois d'août dernier…
Tu en déballes, du stock, quand tu écris,
toi ! Attention, les forêts ! Peut-être qu'il
vaudrait mieux s'envoyer des courriels à
l'avenir ! Blague à part, cher Thomas,

ta lettre m'a émue aux larmes. C'est très touchant ce que tu me racontes à propos de ta mère et de ton père. Jamais je n'aurais pensé... C'est triste, tout ça. Pauvre Thomas ! Je te trouve très courageux d'être passé à travers ce que tu as vécu. Tant mieux si ça t'a fait du bien de découvrir tout ça. Le meilleur est devant toi maintenant. J'en suis persuadée. D'ailleurs, si l'on en croit ton horoscope, aujourd'hui... OK, j'arrête.

Merci mille fois pour le cadeau. Si tu savais comme ton album photo m'a fait plaisir ! Tes photos sont magnifiques. Encore plus magnifiques que celles que tu m'as montrées cet été. Il y en a tout plein que j'adore. J'aime particulièrement toutes tes photos de skate. J'en conclus que tu n'évites plus ce lieu comme avant. Thomas « not the grave anymore », hein ? C'est Jeremy Taylor

qui doit se tenir tranquille maintenant !
Je vois ça d'ici. N'insiste pas trop sur les
muscles quand même. Les gars trop baraqués,
style soufflés aux stéroïdes, ce n'est pas trop
mon genre. Tu es parfait comme ça !
Je l'avoue : je te trouve tellement beau sur
la photo prise par Ralph où tu fais du skate
en compagnie de tes anciens copains du
parc de mobile homes. Je suis contente que
tu aies renoué avec eux. Comme ça, tu t'es
mis au skate ? En fais-tu beaucoup ou y
vas-tu surtout pour faire des photos ?
Celle du skater qui semble voler dans les
airs est incroyable ! Wow ! C'est Ralph qui
doit être content de son élève ! À quand un
photoreportage sur les jeunes de Floride et
leurs passions ?

La photo des membres de ta famille d'accueil
m'a fait plaisir et m'a rassurée. Diane et

Kevin ont l'air gentil. Pas du tout le portrait des affreux, sales et méchants qui accueillent des enfants juste pour se faire du fric, comme j'ai déjà vu à la télé. J'espère qu'ils seront bons pour toi. Leurs enfants, Lisa et Brandon, sont mignons comme tout ! Peut-être qu'on pourra faire du baby-sitting ensemble quand j'irai à Naples. Et merci aussi pour la photo de John et Ralph : ils sont trop cute ensemble, ça me rappelle de beaux souvenirs ! Tu es vraiment doué ! Ne lâche pas ! Même que l'idée d'un projet qu'on pourrait réaliser ensemble, textes-photos-dessins, commence à germer dans ma tête... Je t'en reparlerai...

De mon côté, ç'a bougé en grand aussi. On s'est donné le mot, toi et moi, pour faire trembler les murs de nos écoles ! Bon, je n'ai pas « pété la gueule » à qui que ce soit

(je sais vivre, moi). Mais, à ma manière,
j'ai quand même remis les pendules à
l'heure, moi aussi. Tu ne devineras jamais :
première semaine d'école, j'ai écrit à la
bombe aérosol un message en lettres géantes
qui couvrait presque TOUTES les cases des
vestiaires. Le message :

L'EX-SUICIDÉE JEANNE MARINEAU
ES DE RETOUR.

ELLE VA TRÈS BIEN, MERCI !

RESPECT, PLEASE !

Tu aurais dû voir la tête du directeur qui
m'a convoquée à son bureau ! Il était en
colère à cause du vandalisme (dans sa
bouche, ça sonne : « vandalizme »), mais
en même temps il marchait sur des œufs,
de peur de me blesser (vu ma bévue tragique
de l'année dernière). Il était désespéré.

Le plus fou, ce qu'il semblait ne pas digérer, dans le fond, c'est qu'il y avait une phrase en anglais dans mon graffiti! En tout cas, c'est là-dessus qu'il mettait l'accent. Ça, dans une école française, ça ne passe pas! Mon père s'est vraiment tordu de rire quand je lui ai fait part de ce « croustillant détail » (ce sont ses mots). Bien sûr, après, mes parents ont quand même cru bon de me punir : pas d'argent de poche pour le prochain mois, histoire de rembourser les frais de nettoyage occasionnés par mon acte de fou. (Vandalisme mis à part, ils semblaient quand même apprécier le fait que je prenne maintenant les choses en main.)

Reste que, auprès des filles de l'école, je jouais le tout pour le tout. Je le savais. Ça passait ou ça cassait, mon message provocateur. Tu seras fier d'apprendre que c'est la première option qui s'est imposée. Mélanie Durell, celle qui avait fait courir le bruit que j'avais essayé de me suicider pour vrai, l'an dernier, est venue me voir à la café avec sa gang. Quand elle s'est dirigée vers moi, un sourire en coin, j'avoue que j'ai eu un peu la trouille. Mais j'étais prête à tout. Comme si elle voulait elle aussi faire frémir d'horreur le directeur, elle a dit : « Cool, Marineau ! T'en as du guts ! On forget tout ça, OK ? » J'ai dit « OK », en essayant de garder un air sérieux et détaché (mais j'avais des ailes, Thomas !).

Si tu me voyais, tu serais fier de moi ! Je vais bien. Je rayonne presque comme avant. Mes notes ont remonté. Tout le monde me fiche la paix maintenant. Même que je me suis fait deux amies très chouettes : pas nerds, pas snobs, pas vaches. Ça existait à ce

collège, et je ne le savais même pas !
Je t'envoie une photo de nous trois (Rafaëlle,
à droite; Daphné, à gauche), mais pas
question que tu en trouves une plus jolie
que moi, tu m'entends ?

On sonne à la porte. C'est sûrement ma tante
Marjolaine qui vient souper à la maison
ce soir. Chère tante, égale à elle-même !
La semaine dernière, elle m'a confié qu'elle
trouve son séjour au Québec un peu « boring ».
Ce n'est pas que Montréal soit une ville
ennuyante, au contraire. La ville est pas
mal plus excitante que Naples ! Mais elle
trouve que mes parents ont une vie un peu
trop intello et un penchant pour le travail
un peu trop marqué. Un monde sépare le
mode de vie de ma tante et celui de mes
parents ! Quant à mes grands-parents, qui
l'ont accueillie chez eux et qui arrivent

maintenant une fois sur deux à ravaler les commentaires négatifs sur ses choix de vie, elle ne se sent pas capable de les regarder faire leurs mots croisés chaque matin en sirotant un café. C'est ce qu'elle m'a dit. Ses amis lui manquent. La Floride lui manque. Les partys lui manquent. Bref, ça ne m'étonnerait pas que vous la voyiez revenir plus vite que prévu et pour longtemps.

Enfin, grande nouvelle : mes parents, qui snobent généralement ceux qui voyagent dans le Sud l'hiver, vont devoir piler sur leur orgueil : on s'en va tous fêter Noël en Floride cette année. Juste à y penser... ça me fait rire ! Je te donnerai la date officielle de notre arrivée pour que tu puisses venir à l'aéroport de Fort Myers accueillir ces deux aspirines aux lunettes fumées qui fuient habituelle-ment le soleil comme la peste. Il faut qu'ils aient **très** envie de te rencontrer et **très** envie de me faire plaisir. Tu vas finalement pouvoir constater de visu que ce sont des extraterrestres sympathiques. C'est donc certain qu'on va se voir dans le temps des fêtes, même si ma tante n'a pas la patience de m'attendre jusqu'en décembre.

Salue bien tout le monde de ma part, ce joyeux John et ce taciturne Ralph, mais aussi les boxers et les cacatoès. Et pendant que tu y es, pourquoi pas l'horrible Mr Raven!

Je t'embrasse. Moi aussi tendrement.

Jeanne
XXX

AUTRES TITRES DE NATHALIE FREDETTE

LA CONFRÉRIE DES MAL-AIMÉS
(Collection Gulliver)

Même si tous ses amis le trouvent chanceux d'avoir un père pompier et drôle de surcroît, Daco, lui, ne rit pas. Surtout quand son clown de père le laisse tomber...

Le site www.echangedeparents.com pourrait-il changer sa vie ?

SÉRIE JULIETTE
(Collection Bilbo)

Il n'est pas toujours facile de composer avec le regard des autres... Découvrez comment Juliette réussira à se faire accepter et respecter de ses camarades de classe.

SÉRIE CAMILLE
(Collection Bilbo)

Joignez-vous à Camille et à la sympathique madame Emma pour découvrir les joies d'avoir des félins dans sa vie. Pour amateurs de chats !